[イニシャル]
頭文字D

1

しげの秀一

CONTENTS

頭文字《イニシャル》D

199×年 夏
群馬県 秋名山《あきなさん》
▶Vol.1 ハチロク買おーぜ
ギャアアアアァィ
パーーッ
ギャアアアッ
ドヒャアア

キー

ズリアアァンー
ギャアアアア…
ギャアアアアア
プーーー

群馬県　S市
県立S高校
91年式で130万円・・
たっけーな
好きな色なんだけど
高すぎる・・

やっぱ シルビアは
やめて ハチロクさがそう
それなら現実味があるよ・・
ザワザワ
ワイワイ
とりあえず
FRじゃなきゃなー
クルマは・・
なぁ 拓海《たくみ》
聞いてんのかよ?
ボケーッ
聞いてるよ・・・
で・・いくらなんだよ
その ハチロクって
ヘンな名まえのクルマだな・・

30万ってのがある
検なしだけど‥
‥‥
今んとこ いくら たまってんだ？
5万と ちょっと
ボーッ
先は なげーな
あーあ‥ ドカンとかせぐ 方法ってねーかなー
オレらが今やってる スタンドのバイトじゃ 夏休み フルにがんばっても いいとこ 12万ってとこ かなー
バイト してるんだ？
ひょっこり
拓海くんたち

ぷーっ

茂木《もぎ》…
・・・
きょとん
・・・
・・・
じーっ
なによー
だまらないでよー
あたしが話しかけたのがそんなに意外だった?
クイクイ
1ヵ月やって12万ぐらいなの? バイトって
それって週に何日ぐらい働くのォ?
みっちりだよ 週5回か6回…
ザワザワ
そんなに働くのォ!?
えーっ
そんだけ働いてたった12万なのーっ

たったってなー ふつーそんなもんだろー
どういう金銭感覚してんだ?・
高校生のバイトなんて時給やすいんだぜ
ふーん
知らなかったー
バイトしたことないから‥
がんばってね
ばっあーい
期末試験終わったらみんなで遊びにいこ?
・・・
ボーーッ
オレ 茂木《もぎ》なつきと話したの一年ぶりぐらいなんだよ
ホントかよー
2年の夏まではよく話してたんだけどなー同じ部活だったから‥
そのあとちょっとわけあってオレものすごくキラわれてさけられてたんだ‥
ザワザワ

何したんだ? おまえ
部室で おしたおした とか?・
別に茂木には 何もしてねーけどさ
そのころ あいつの カレシだったサッカー部の 1年上の先輩をさー
なぐったんだよ 部室で・・
その事件以来 オレ 気まずくなって サッカー部やめたけど 茂木はずっとマネージャー つづけてたから・・
廊下でスレちがっても 目も合わせてもらえない ぐらい ロコツにシカト されてたんだ・・
当然といえば トーゼンか・・
カレシなぐっちゃなー
だけど おまえ 運動部で上級生 なぐるなんて すごい ことだぞ
なんで また?・
理由は ちょっと 言いたくねぇけど・・
ついカッとなってサ・・
イヤな奴だったんだよ その先輩
おまえ昔から そういうとこ あるからなー ふだんは眠そうに ボーッとしてるけど・・
たまにキレると 人格変わるからなー

小学校ぐらいの時って
すぐ泣くくせに
泣いてからキレて妙に
強い奴っているだろ
ホケーッ
オレって そういう
ガキだったんだよなー
あはははは
なぁ
歩きながらそれ
読むのやめろって
みっともねーから
きいてねーな
このガキ
おっ この
ハチロクいいかも

なー　拓海
2人で共同で
ハチロク買わねーか?
2人のバイト代合わせれば
ローン払えるだろー
なんでそこまで
ムリしてクルマ
ほしいんだよ
やだよ
オレ…
おまえん家《ち》だって
クルマぐらいある
だろーが
それかりれば?
だめだよおやじの
クルマ　オートマで
FFでおまけにエンジン
ディーゼルなんだよ
ブオーッ
サイテーだよ
クルマじゃないよ
あんなの
くせーし
ボケーッ
りっぱにクルマだよ
タイヤが4つついてて
走りゃー
わかってねーなー
峠に行って
楽しいクルマじゃ
なきゃクルマの意味が
ねーだろォ?

何すんだよ峠に行って
パ゜パ゜
決まってんだろ攻めるんだよコーナーを
・・・
楽しいんか?
渋滞の車の　人・車
市役所通　道橋
そんなことして
はあ〜っ?
オレときどきおまえって奴がわかんなくなるよ・・拓海ィ
楽しいに決まってんじゃん
やったことねーけど・・
男のクセにかっこよく峠を攻めてみたいと思わねーのかよっ!?
オレもうあきてるんだよなーそういうの・・
ポリッ
?

なんだよそれ
どういう意味だよ？
お互い先月
免許とった
ばっかじゃん
…
あれだよ
あれ‥
バイト行く前に
ちょっと
やっていこうぜ
セガ・ラリー
ゲーム
GAMES
なんだよ
ゲームの話かよ‥
ヘンだと思った‥
言っとくけどなー
ゲームと実車は
まるでちがうぞ‥
と言いつつ
もえてしまう
オレだった
…

キッ
バタムッ
かわいいよ
なつき
やっぱりなつきは
制服姿が一番だな‥
そお?
ありがとう
パパ

グヒュー
あのね パパ‥
なつきの知ってる
男の子がね‥
バイトしてるんだって‥
それでね‥
そのコは夏休みの間
ずっと働いても12万
ぐらいしか もらえないんだって‥
うん‥
まぁ そんなもん
だろ‥
ヒュ
お金をもらうことって
すごく大変なこと
なんだね‥ パパ
ウィーー
なつきはパパと
月に3回ホテルに行く
だけで30万も
もらってるけど‥

そんなに たくさん もらっていいの？
いいサ・・
なつきには それだけの価値が あるんだ・・
そうなのかな・・
なつきには わかんない・・・・
ありがとう ございましたー!!

なー 拓海ィ さっきの話のつづきだけどさー
買おーぜ ハチロク
おまえら ハチロクねらってんのか
ほう
いい趣味してるぞ
でしょ でしょ? 池谷《いけたに》先輩もそう思います!?
ホラ見ろ 聞いたか拓海!!
…
ふーん
オレ‥実はよく知らねーんだよ ハチロクって
どこのクルマ? マツダだっけ?
ずるっ
マジかー 拓海 ハイオク飲んでみるかーおめー
しまった
GSでバイトしてて ハチロクも知らねーなんて 大恥もいいとこだぞ!!

ハチロクはトヨタだよ ジェネレーション ギャップ感じたー 今オレ…
う～ん
あの…オレは知ってんですけど
ムリもねーのかな… モデルチェンジして キューニーが出たのが おまえらが まだ 小学校の低学年 ぐらいのころだもんなー
そんな古いのかー
あんまりイメージが よくねーなー うちにも 商売で使ってる古い トヨタのクルマあるから
そんなのと いっしょにすんなよ
古くたって ハチロクだけは別だよ
ハチロク買ったら 池谷先輩のチームに いれてもらえます？
ずっと あこがれてた んですよー オレ… 秋名スピードスターズに
今日は土曜だから 夜になれば みんな 秋名山に集まるぞ…
来るか？ おまえらも

え…
けど……
…
ボーッ
オレら
クルマないから
ブオーーッ
Esso
96
乗せてってやるよ
センパイの
S13（シルビア）にイ!?
行きます
行きます
S13ってなに?
?
オレ 絶対
行きます!!
拓海も行くだろ!?
なっ なっ
こんなチャンスめったにないぞ!!
ひょっほー
秋名スピードスターズの
メンバーにも会えるぞ!!

お先 失礼しまーす
池谷先輩
おおっ 8時にバス停でひろってやるから
好きだなー おまえらも
どこ行くんだ 峠《やま》は？
店長・・
このあたりで走るっていったら秋名山しかないでしょー
10分も走りゃーつくんだから
うちのチームは一応秋名山最速を宣言してるんですよ

ゴロゴロいるぞ自称秋名最速って言ってる奴は・・
にゃ にゃ・・
オレがまだ現役で走ってたころは・・
自他共に認める秋名山最速の走り屋がいたんだよなー
まさか店長・・
しゅぼっ
「それは オレのことだ」とかいうオチじゃないでしょうね？
ちがうよバカ 本当に いたんだ伝説の走り屋が
しかも そいつは 今でも現役で走ってるんだぞ秋名山を
今でもォ？
オレ秋名の走り屋はたいがい知ってるけどそんな年くった奴いませんけどねー
わるかったなー年くってて
だっはははは
あ・・いや・・そーいう意味じゃあ
おっ うまくドーナツできた
ぷーっ

おまえらとは走る時間帯がズレてるだけさ・・
そいつは今はとうふ屋のおやじだからな
はあーっ!?
伝説の走り屋がとうふ屋ァ?
朝の4時とか そんな時間に ふもとから とうふを車にのせて秋名湖畔の ホテル街に おろしに行くんだ
空《から》になったクルマで ふもとまで下ってくる時のスピードはそらー一見の価値あるぞ 尋常じゃねーからな・・
なんせ商売だから雨が降ろうが雪が降ろうが毎日走るんだ 年季《ねんき》がちがうよ
秋名の峠《やま》ならアスファルトの染《し》みひとつまで知りつくしてる男だからな・・
1千万かけてもいいや おまえらが今の新しい速いクルマで束《たば》になってかかっても下りなら奴には歯がたたねぇだろう・・

秋名山の下り最速は
とうふ屋のハチロクだ!!
ええっ
ハチロクでぇ・・・・!?
本当に1千万かけるんですか店長?
むう・・
100万ならかける
本当ですか!?
しーん
・・・
10万だ!! それなら本当だ
てんちょお・・・・

期末試験終わったら
みんなで どっか 遊びにいこ？
…
どーいう風のふきまわしかな…
茂木なつき…
うまくやったなー おまえ…
マネージャーの茂木のことさ… みんなねらってたんだぜ
さすがサッカー部最強のスケコマシと言われるだけのことはあって手がはやいよ…
へっへ… やくな やくな

いい体してるぜ
なつきは‥
フェラも上手に
なったしなー オレが
しこんでやってるからヨォ
やめてくれよー
あのかわいいカオで
そんなことするのかァ
サッカー部
これから茂木のカオ
見るたびにヘンな
想像しちまうよー
ひゃっははっは
おまえたってるぞ
ひゃっははっ
かわいいカオして
たって 女なんて
イヤがるふりして
なんでもやるぜ‥
この前なんて 屋上
よびだして いきなり
スカートの下から‥
‥‥!!
ガッシャーン
なんだ おまえーっ

いいかげんに
やめろよ
そんな話‥
いい気になって
くっちゃべってんじゃねーよ
聞いてて 不愉快
なんだヨ‥
なんだァ拓海
てめえーっ
上級生にむかって
その口のききかたは!?
なんだっていいんだよ
バーカ
立てよ!!
ゴキャ

キレたなー
あんときゃー
わけわかんなくなって…
…
ふーっ
気がついたら相手の
顔が血だらけで
オレも拳の骨
折れてたもんなー
茂木のことも そんなに
好きだったわけじゃ
ねーのにな…
いけねー
もうこんな時間か…
なんで あんなこと
したのかなー
とうふ 手づくりの店
油あげ 藤原 豆腐店
出かけんのか?
まーね…
イッキと約束
あんだよ

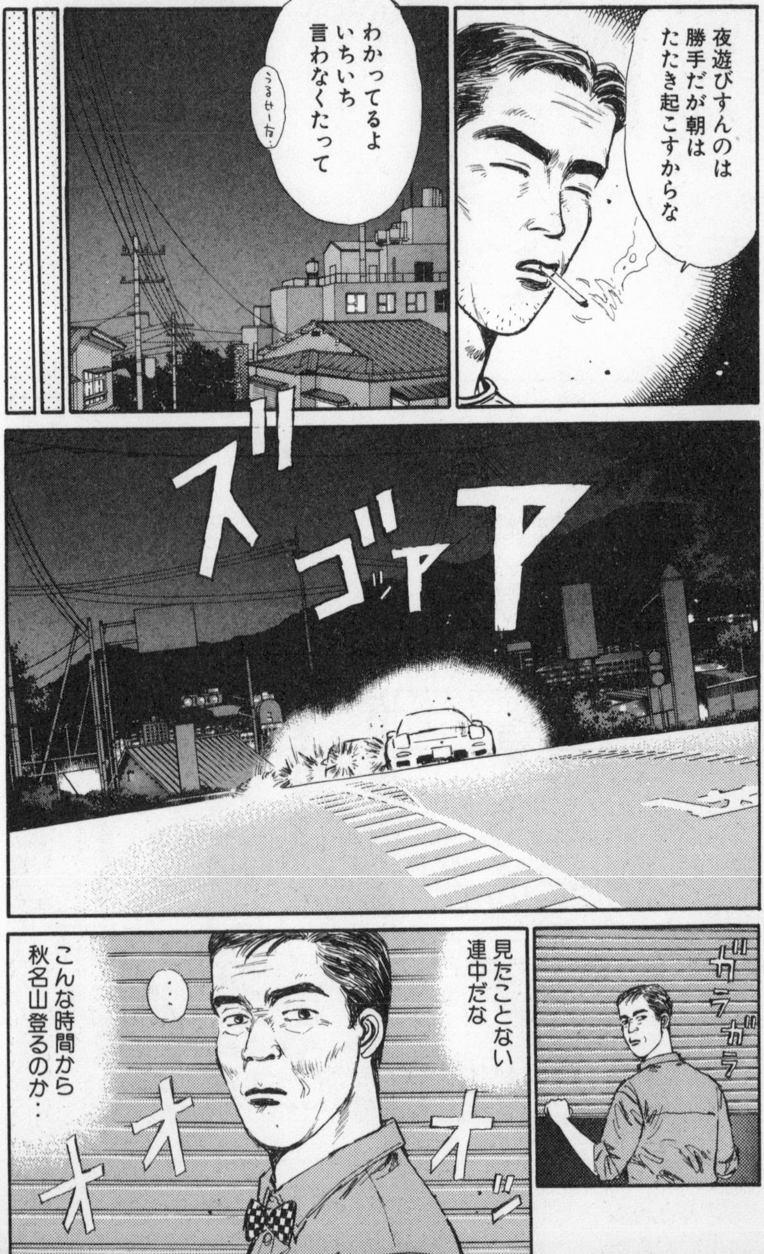
夜遊びすんのは勝手だが朝はたたき起こすからな
わかってるよいちいち言わなくたって
うるせーな…
ズゴァア
ガラガラ
見たことない連中だな
・・・
オオオオ
こんな時間から秋名山登るのか・・

どうみても温泉客じゃねーよな
よそから来た遠征組か・・
フン・・
今夜は・・
峠《やま》でひともんちゃくあるかな・・
ドドギャアアア
秋名スピードスターズ
ドギャア

うわあああ～っ!!
ゴオ
やかましいぞ 拓海!!
池谷センパイの気がちるだろ
そんなこと 言ったたって こえーんだもん
オオオ
ムリもねぇさ・・ 走り屋のクルマに はじめて乗ったら 誰だってびびるもんだ!!
次は2速の ヘアピンだぞっ!!
ウリャーッ
ギャアアア
ギャ
ぎゃあああ～っ
やめてくれー
やっぱ うるせー 拓海ーっ!!
だまれっ
秋名山 頂上
しーん

だいじょうぶか？拓海
気もちわるくなったんだと
かわいいね－！
そんな こわがるとは思わなかったんで調子こいてガンガン攻めちゃったけど・・
ゲロゲロ
げっそり
ふわあ・・
なさけねーぞ 拓海 おまえ こわがりすぎだ
ぽあ
それでも男かよ ダサダサだよ
ジェットコースター乗ってギャーギャーわめくタイプだろ
オレ ジェットコースターなんか こわいと思ったことねーよ イッキ
・・・
おまえに説明しても絶対わかってもらえねーよ この こわさは・・
はあぁ

？
なに言ってんだ？
とうふ
豆腐店
トルルルル
はい 藤原とうふ店・・
おお・・ おまえか!!
どういう風のふきまわしだ？
いや まーな これといって用事もねーんだが・・
たまたま おまえのことを思い出すことがあったんで元気でやってるかと思ってな・・
オレはかわらねーよ・・

それはそうと
ハチロクの方も
ずいぶん元気
みてぇじゃねぇか・・
このあいだ朝早く
配達帰りのおまえと
スレちがったぞ
いつも新鮮
冷たいおとうふ
おまえオレだと
気がつかなかったろ
合図したのに
無視しやがって・・
暗かったけどな・・
そりゃー
ちがう・・
シュボッ
オレじゃねぇ
ちがわねーよ
まちがいなく
おまえの
ハチロクだった!!
だから その・・
オレのクルマだけど
運転してたのは
オレじゃねぇ・・・
今とうふを
レイクサイドホテルに
おろしにいってんのは
息子の拓海だ
ふーー
ポリ
ポリ
なんだとーお!?

いつからだ!?
5年前だ!!
ごねんまえだァ・・
毎日か!?
毎日だ!!
再び
秋名山 頂上
ガヒュ

オオ
見かけねぇ奴等《やつら》だな・・
ザワッ
どっかよそのチームだろ・・
やな感じだぜ・・
・・・
オオ
オオ
あのステッカー
まさか・・
オオ
ぬうっ
バタン
・・・
バターン

ドルル
ルル
オレ達は赤城山《あかぎさん》から来た
赤城レッドサンズのメンバーだけど
ドド
やっぱり‥
赤城最速といわれるレッドサンズ‥!!
ドドド
ぶしつけな頼みで悪いが
この峠《やま》で最速のチームかもしくは走り屋を知ってたら教えてくれないか？

Vol. 1　ハチロク買おーぜ　END

▶Vol.2　最速!!　ロータリー・ブラザーズ

おまえの息子 まだ高校生だろうがァ
手づくりの店
とうふ
藤原豆腐店
油あげ
五年前っていったら‥
中学一年から運転させてるのかァ!?
無免許バレたらどうするつもりだったんだ!?
信じらんねー バカだな‥
バレやしないよ朝早いし田舎だしな‥
けっ
たまにはヒヤヒヤすることもあったけど‥
ふーっ
今はもう免許とらせたから時効《じこう》だ!!
ばあかやろ‥
ドドッ
ドドッ
ドドッ

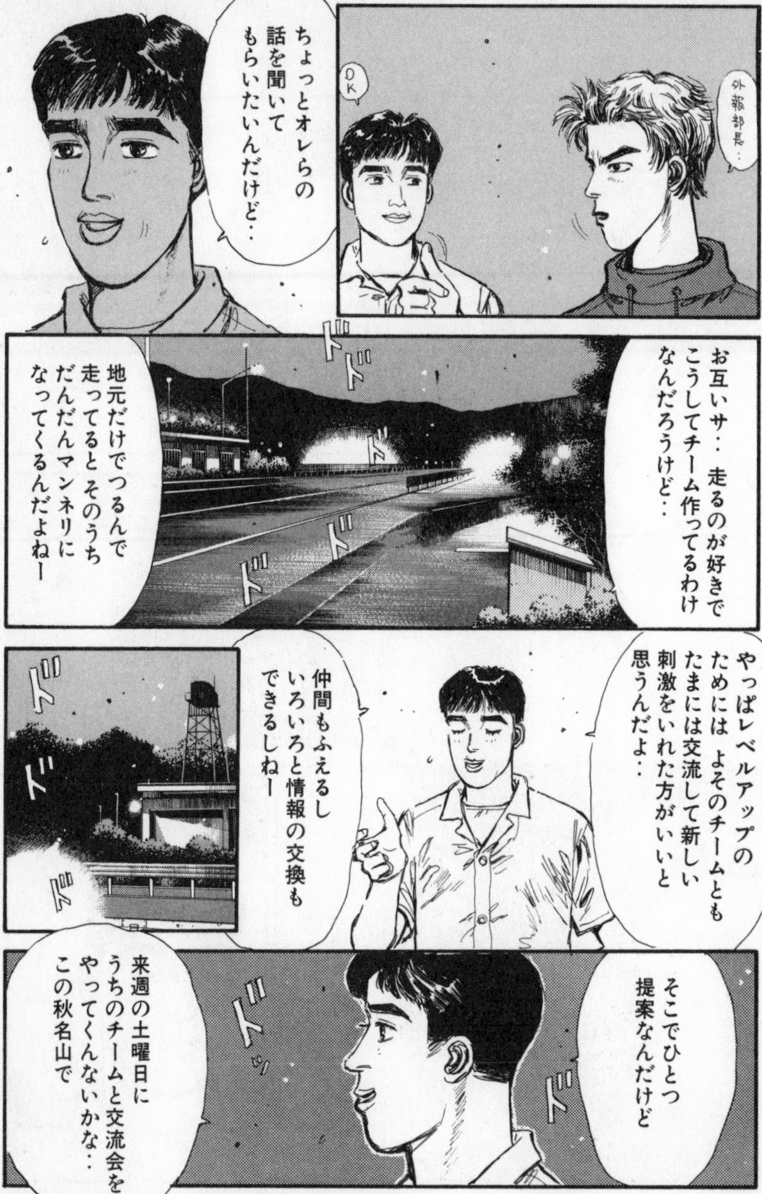

外報部長‥
OK
ちょっとオレらの話を聞いてもらいたいんだけど‥
お互いサ‥ 走るのが好きでこうしてチーム作ってるわけなんだろうけど‥
ドドドドドド
地元だけでつるんで走ってると そのうちだんだんマンネリになってくるんだよねー
やっぱレベルアップのためには よそのチームともたまには交流して新しい刺激をいれた方がいいと思うんだよ‥
仲間もふえるしいろいろと情報の交換もできるしねー
ドドド
そこでひとつ提案なんだけど
ドドッ
来週の土曜日にうちのチームと交流会をやってくんないかな‥この秋名山で

ドッ
ドド
ドド
はじめは つるんで走って最後にそれぞれの代表を出して上りと下りのタイムアタックをやる・・・・
別に勝ち負けにこだわる気はないんだけどね・・
あくまでもチーム同士の親睦《しんぼく》が目的だからね・・
ドド
どうかな・・?
そう言われちゃ・・
・・・
断る理由もないけど・・
じゃ 決まりだな!!
今日のところはオレ達じっくり練習させてもらうよ
走りのマナーはキチンと守る
ドドオオ

ゴヮアアアー
オオオ
気おくれすることねーぜ
オレらも出よう!!
赤城山のレベルが
どれほどのもんか
見せてもらおーじゃん!!
グアアア
秋名の峠《やま》なら
走りこんでるオレらの方が
上だろーが!!
ケツを
つついてやれ!!

ひっかかるな・・
池谷《いけたに》先輩
おもてむきは体裁《ていさい》のいいこと言ってるけどようするに挑戦じゃねーか
自分らの速さを見せつけに来てるんだ・・
こっちにだって地元の意地があるぜなめられたくねーな
見せてもらうぜ赤城最速といわれる高橋兄弟の走りを・・
・・・
ボケー・・・
タカハシ兄弟ィ!?
新旧のRX-7が2台いたのをおぼえてるか?
あいつら ちょー有名な走り屋なんだ雑誌にものったことあるし・・
人呼んで「ロータリーの高橋兄弟」!!
実物を見るのはオレも今日がはじめてだ!!

池谷先輩!!
オレらは・・?
グオォーン
わりーな 本気で走る時は助手席《ナビシート》にヒトを乗せないことにしてんだ!!
ここで待ってろ あとでひろいにきてやる!!
ギャッ
ドッ
オオオーー
・・・
ああ〜〜〜
悲しすぎるぜ
・・・
なんで こんないい時にオレ達だけクルマないんだよォ〜〜〜
へな へな

なぁ イツキ・・
走り屋って楽しいのかな・・そんなに
不思議だな・・
なんで あんなことに みんな あんな熱く なるのかな・・
・・・
不思議なのは オレの方だぜ 拓海《たくみ》・・
おまえ何も感じねーのか？ ホントに・・
次から次へと全開で かっとんでく あの音聞いてて 血がさわがねーのかァ!?
・・・
血がさわぐ・・？
DRILL

ギャアアアアアアッ
ブボボー

ギャ
どう思う アニキ
高橋 啓介《けいすけ》 FD3S
カスぞろいだ!!
高橋 涼介《りょうすけ》 FD3S
うちのチームの2軍でも楽に勝てる‥
来週はベストメンバーで来ることねぇな オレはパスだ
アニキ来ねぇなら オレもパスすっか‥
いや‥おまえは走れ
とりあえず地元のやつらが何年かかってもやぶれねーぐらいのコースレコードをつくっとかねーとな
なんで?

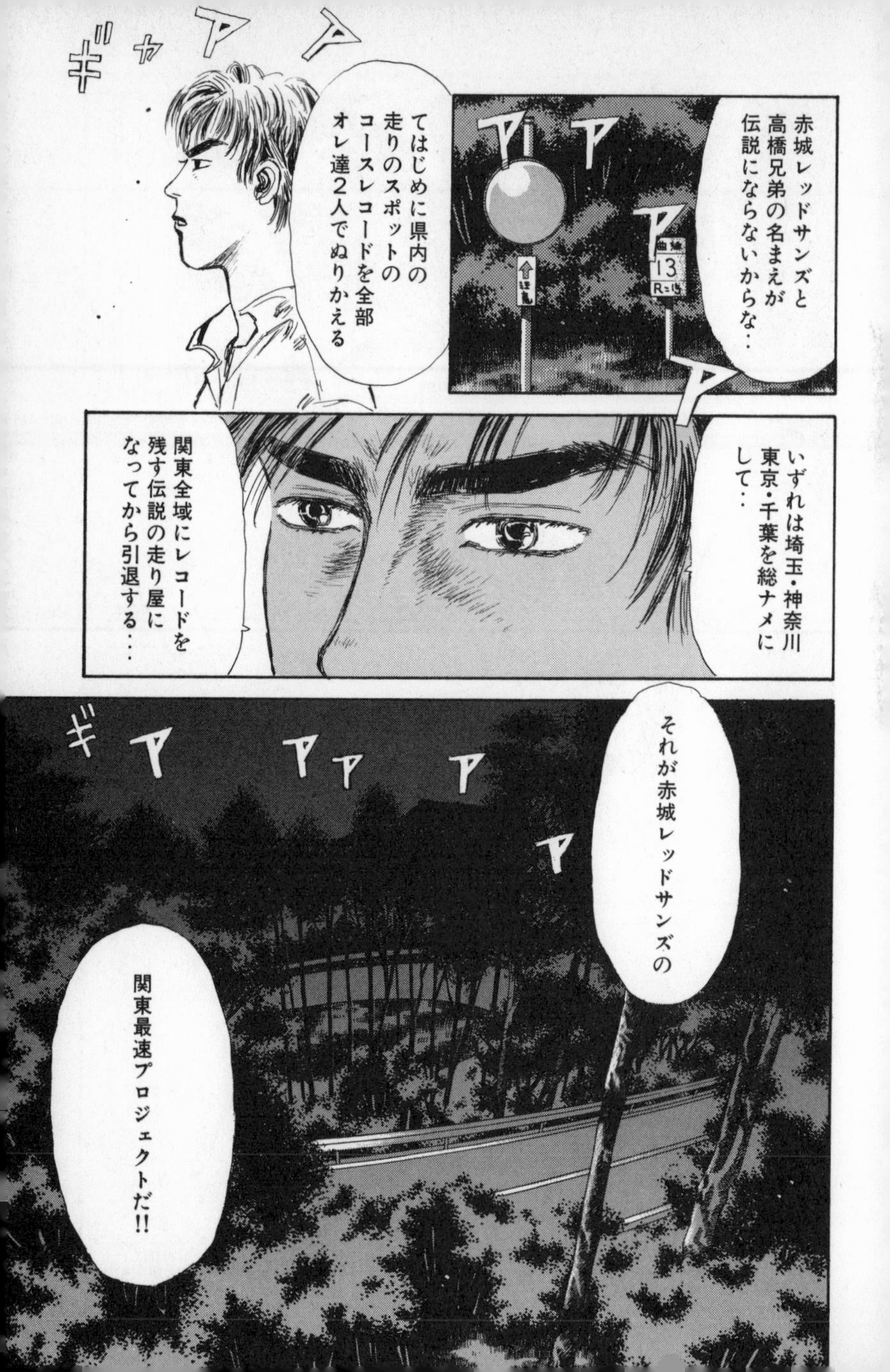

赤城レッドサンズと高橋兄弟の名まえが伝説にならないからな・・
ァァァァ
ギャァァ
てはじめに県内の走りのスポットのコースレコードをオレ達２人でぬりかえる
いずれは埼玉・神奈川東京・千葉を総ナメにして・・
関東全域にレコードを残す伝説の走り屋になってから引退する・・・
ギァァァァァ
それが赤城レッドサンズの
関東最速プロジェクトだ!!

ギャァァァァァァァ
はやい・・!!
めいっぱい走ってんのに
一台もつかまえ
られない!!
ゴオオッ

ギャア
やべ
くっ
ア
ギャヒイイイイイ
ギャアア
アアアア
注意
数時間後
ドゥルルルルッ
すげーよ
あいつら‥

し
ん
根本的に なんかちがう…
テクニック ぬすもうとして ケツにつくんだけど ついていけないんだ
赤城はレベル 高いと聞いてたけど… これほどとは思わなかった
走りなれてるホーム グラウンドで よそ者に ちぎられるなんて すげーショック…
あいつら 足まわりにも 金かけてるし パワーも出てる
クルマも ちがうよ…
ドドドド
…
レッドサンズに はりあおうなんて ムリだよ池谷…
……
けど地元が 逃げるわけにも いかねーだろ…
ドッ
ド
やると言ったら やるしかねーよ…

今日はもう
おそいから明日また
どっかに集まって
打ち合わせしよう・・
・・
乗りな・・
イッキに拓海
ドッルルルッ
・・・
帰るぞ
ゴーーッ
ゴオオ
DRILL
走り屋って・・
負けず
ギライな奴が
多いんだよ
プライド高いし・・

ゴォォ
自分のことは
そうとう速いと
思いこんでるんだよな
誰でも‥
ていうかオレら
他にとりえ
ねーからな
‥走りのこととなると
ムキになっちまうんだよ
・・・
ふだん走りなれてる
峠《やま》でよそ者に負ける
ことほど情けないことって
ねぇからさ‥
ヒュン
地元ってのは
ぜってーよそ者に
負けちゃいけないんだ
それは走り屋の
オキテみたいな
もんだよ‥
ゴォーッ
おまえらも そのうち
走りはじめれば
オレの気持ち
わかるようになるよ‥

ドッ
ルルルルッ
‥
さらに数時間後
ドッ
ドッ
‥‥
涼介さんのFCは‥
とっくに帰ったよアニキは‥
ふーっ
残ってるのはオレら3人だけか‥
ドルルロン
ずいぶん走りこんだな‥
オレもうガスねーや何時だ今？
もうすぐ4時ですよ‥
ねんぴわりーからFDは
よっしゃボチボチひきあげだ

ギャアアアア
ギュルルオ
チラ
本気でとばすと ついてこれねーかよ まだまだだな あいつらも…
下りは きつい からな…
ゴオ
しょーがねーアクセル ゆるめて追いついて くるの待っててやるか

ピカッ
一台来た・・
どっちだ・・
ヒュウウゥーン
ガァ
ゴアァ

Vol.2　最速!!　ロータリー・ブラザース　END

何者だァ!?
暗くて車種まではわかんねえな・・MR2か180・・でかいクルマじゃなさそうだ
ゴオオ
上等じゃねーか!!
コーナー2コも抜けりゃバックミラーから消してみせるぜ!!

▶Vol.3 究極のとうふ屋ドリフト

ギャ
!!

ストレートはFDだろ

ゴォ
ちっ!!
ゴクン
ゴォ
ゴァ
ヴァァァァイ
ギャ
ズッ
ゴァァ
ふりきれない
悪い夢でも
見てんのかァ
ハチロクに追つかけ
まわされてるだとォ!?
ドギャ

ゴオ
ジョーダンじゃねぇっ くそったれがァ!!
オレは赤城レッドサンズのナンバー2《ツー》だぞォ!!
オ
ゴオ
ゴオ
クン
クスッ

ギャゴオ
こいつ…先を知らないのか!! 減速して入らないと谷底へまっさかさまだぞ!!
げえ
このゆるい右の後はき・つ・い左だ!!
シュゴー
ギャリ
言わんこっちゃねえっ!!

ゴオオ
万事休す
遠心力で後輪《けつ》が
出てる!!
スピードがのりすぎてるぜ
立て直して減速する
スペースはないッ!!
イヤなもん
見せられたぜ
…!!
ガッ
クッ
な・・に・・イ!?

ギャアアアア
慣性ドリフト

ゴァァァァァ

アアアアア
しん
信じられん
オレは秋名山《あきなさん》で死んだ走り屋の幽霊でも見たのか…
ひとつめの右のカウンターは次の左の姿勢づくりのフェイントだった…
ハラ立つくらいに完璧なスーパードリフト
レッドサンズでもあんな技を使いこなすのはアニキ一人だけだろう
ガタム
ドドド
ボーゼン
なんだアレっ
ハチロクじゃね…よあんなの

オレのプライド
ズタズタだぜ
峠仕様の最新型のFDで
10年前のボロハチロクに
負けた・・ア
あのハチロク
何者だ・・・
ミーン
ミーン
ミン
ミン
専用駐車場
岸権
ヒュウウウウウ

拓海《たくみ》!!
とうふ
いつまで寝てやがる 起きろ電話だ
手ブくり 藤原 豆
誰だよー
どーせイツキだろ?
ボーッ
いいから早くでろ!!
ドスドス
モシモシ
もあーっ
オレだけどー
・・・
えっ!!

きょろ きょろ
拓海くん
ココだよ
びっくりした?
びっくりしたよ イツキだと思って出たからさ…

そろそろ いいんじゃ ないかなァと 思ってサ
拓海くんと 仲なおりしても
・・・
仲なおりするも 何も・・
まんじゅう
オレは茂木《もぎ》と ケンカしてたわけじゃ ないからな・・
・・・
じゃ してくれるのね・・ 仲なおり・・
よかった・・
・・・
湯の花まんじゅう
きのう学校で クルマの話 してたでしょー

クルマ運転
できるの拓海くん?
うん
免許とったからな
じゃあさ
夏休みになったら
ドライブいこうよ
トモツル
酒
小林酒店
拓海くんの運転で
なつきは
お弁当つくるよ
みーーん
みーん
いいけど
クルマださいぜ…
商売で使ってる
ボログルマしかないから
いいよそんなの…
クルマなんてどんなの
でもいいんだ
ぜんぜん気にしない
もーん
カセットぐらい
ついてるんでしょ
たのしいよ!
きっと
わくわく
しちゃうよ~
そうかァ?

茂木って‥
ミーンミーン
ミィーンミィーン
なんでかな‥
みーんみーん
‥‥
ものすげー
エッチな感じ‥
うんと遠くまで
行こうよ‥
どうせなら
じーーー
みーんみーん
そうだ
海がいいよ!!
泳ごうよ 2人で
夏だもん
みーんみーん
2人で‥?

うん
ドルルッ
キッ

Vol.3　究極のとうふ屋ドリフト　END

▶Vol.4　池谷の悲壮な決意!!

・・・
見たところ
どこにでもありそうな
ハチロクだぜ
初期型のGTアペックス
TRUENO
外観は補助灯を
追加してる以外は
どノーマル・・・
こんなクルマが
今の新しいクルマより
速いわけがないぜ
確かに下りなら
上りに比べてパワーの
差が小さくなるが・・・
ペッ
NISMO
ものごとには
限度ってもんが
あるぜ
ジリ・・・

わざわざ見にくるなんて どうかしてたなオレも・・
あれっ
池谷先輩
あれっ
拓海《たくみ》・・!?
なにしてんすかァ? そんなとこで・・
手づ
藤原
とうふ
油あげ
とうふ
まさか・・
おまえん家《ち》ってそこかァ!?

フォォォ
ゴゴ
いやぁラッキー池谷先輩のおかげでバイト行くまでの足代がういた‥
♪
オ
ヒ
それにしても先輩
あんなとこで何してたんすかァ
ューン
いや まぁ‥
たまたま近所に用事があって通りがかったんだ‥
オ
オ
そんなことよかおまえ本当にクルマのこと なんにも知らねぇんだな‥
オ
オ
おまえきのうハチロク知らねぇって言ってたけど‥
ブゴ
おまえん家《ち》にあるあのクルマがハチロクなんだよ‥
大ボケこきやーがって一
ォ
オ

はぁ?
ちょっと待ってくださいよ先輩
あれはハチロクじゃないすよ たしかトレノって書いてありましたよケツに
だからトレノがハチロクなんだよ
わかってねーなー
AE86っていう型式のレビン・トレノをひっくるめてハチロクって呼んでんの!!
はぁー?
マジですかァ池谷先輩!!
拓海ん家《ち》にハチロクがァ!?
ESSO

てめー 拓海っ!!
わるせーん
しゅっ しゅっ
だって しょーがねーだろ 知らなかったんだから
トレノならトレノって 言ってくれよー ・・・ハチロクだなんて 普通のヒトは そんな 呼び方しねーよ
アホらしくて 何も言う気 しねーな・・
・・・
・・・
拓海
ちょっと来い
Esso
なんだよ?
イヤな 予感
ものは相談 だけどさ・・
来週の土曜日 おまえん家《ち》のハチロク 借り出せねーかなー
・・・
なんで?
決まってんだろオレらも スピードスターズと レッドサンズの交流戦を ギャラリーしにいくんだよ!!

オレ
きのうの一件以来
走り屋の世界に
ぞっこんなんだよ
おまえだって
赤城《あかぎ》最速の高橋兄弟の
走りを見たいだろがァ
…
オレ　べつに‥
なにー　てめー
そーいうこと
言うかァ!?
ぎゅーっ
バカやめろ。くるしいっ
こんなに頼んでるのに
それでも友達かよっ!!
なァ　頼むよ
このとおり‥
一生のおねがい
土曜の夜　ハチロク
乗ってきてくれー
こらー　おまえら
すみっこで
なにゴチャゴチャ
やってんだーっ
ブオ
お客さんだぞーっ!!
はーい!!
みーん
みーん
すんませーん

頼んだからなー
拓海!!
そー言われてもなー
ESSO
AKINA

よォ・・
ち～す
新品のタイヤ
いれてんのか・・
ダンロップの
フォーミュラRSV
かァ
ほえ～っ
ふんぱつしたなー
たっけーんだろ
これ
今までの
ウンコタイヤじゃ
どうにもなんねー
からな
タイヤだけでも
ハイグリップにかえて
タイムを稼がないとな・・
ついでに
ブレーキパッドも
交換するんだ
下りを走るには
ブレーキがキモだからな・・
やるのか・・池谷
あぁ・・下りは
オレが走る
死ぬ気で秋名《あきな》の下りを
攻めてみるさ・・

あんまりムリはするなよ
下りは怖いからなワンミスが命とりになるぞ…
わかってる
わかってるけど少しはムリもしねーとな…
地元の意地があるじゃん…
秋名山

ゴオアアァ
ゴオオ
ちいっ
きついぜ!!
今まではコーナーとも
思ってなかったような
ゆるいコーナーが・・
ズゴ
恐ろしい
コーナーに化《ば》けていく
下りのむずかしさを
あらためて
思い知ったぜ・・
走り慣れたはずの
秋名のコーナーが
まるで別人のように
オレにキバをむく!!

ドドド
調子はどうだ池谷？
ボリボリ
ドルル
足まわりのバランスくるったかなー
ダメだァ…乗れてねーよォギクシャクしてる
それはそうと今日も来てるぜレッドサンズのRX-7
FDだったなあれは高橋兄弟の弟の啓介だ…
あれから毎晩見かけるもんな…
たまんねーよあんだけテクニックあるドライバーに
あれほど熱心に練習されちゃーなー
ギャアアアア

うまいっ!!
しかも速い!!
うおーっ
あのピーキーな
FD-3Sを
自由自在だもんな!!
なんだ こいつら‥

今日も現れない‥
あのときのハチロク!!
ゴオ
地元の走り屋じゃなかったのか‥
ヒュー
ウー
そんなはずはない‥
奴は秋名の峠《やま》を熟知していた
走り屋としてのカンだ
ゴアアアァ
もう一度奴に会いたい!!
会ってリベンジかましてやらなきゃオレの気がおさまらない
ゴゴアア
ギ
出てこい!!秋名の幽霊
オア

スピードスターズの ザコなんざ どうでもいい
ゴアァァァ
オレは おまえに 会いにきてるんだ!!
みーん
みぃーん
みぃ～～ん

ありがとうございましたー!!
ふ〜っ
オレ 思うんだけど拓海はクルマのこと知らなすぎるなー
りっぱなスタンドの店員になるためにオレと先輩でいろいろカルトな知識を教えてやりましょうよ…
こいつもロクな知識ねえと思うけど…
なぁ なぁ拓海
おまえドリフトってどういうことか知ってるか?
日本中の走り屋が大好きな用語だぞ

それぐらい
オレだって知ってるよ
バカにすんなー
じゃ 言ってみろ
それは・・
えーと・・
カーブで
カーブって言うなー
ダセーから・・
走り屋はコーナーーって
言うんだ
あっそ
だから その
コーナーでさ・・
内側にクルマが
行きすぎないように
前のタイヤを外に
流すんだろ・・
こうやって・・
くるん
はああ？

ぎくっ
だーっはっはっはっは
かんべんしてくれよー 拓海
あれ
ちがうのっ
くるしー
前輪《フロント》が流れるのは そりゃ アンダーっていって いちばんかっこわるい ヘタクソの代表だよ
ドリフトってのは 前輪《フロント》じゃなくて後輪《リア》を 流すの…
おまえって おっかしーよ サイコーだよ 拓海
ひーひっひ くるしーっ
・・・
わかってねーのは 池谷… おまえの方だよ
ドリフト中のマシンてのは 基本的にアンダーステアなの

今のは4輪ドリフトを
マスターしてねえと言えねえ
すげー高度な回答だよ
おったまげたぜ
ドウン
いらっしゃいませーっ
ギク

Vol.4　池谷の悲壮な決意!!　END

高橋 啓介　21歳

182cm　63kg
好きなもの／愛車FD
きらいなもの／スカイラインGT-R
　　　　　　パーなコギャル
得意技／ABSドリフト(意味不明)

▶Vol.5　リベンジ宣言!!　吠える13Bターボ

…
キュ キュ
ウイーウ
ずいぶん熱心ですね・・
きゅっ きゅっ
お客さん
んっ
どっかで見たようなS13だと思ったら・・
スピードスターズの・・

無視してはたらこう
キュッ キュッ
ひとつ…聞いてもいいかな…
あんたならたぶん知ってるだろ…
?
秋名山《あきなさん》には
幽霊が出るだろう?
鬼みてぇにバカッぱやいハチロクの幽霊さ…
すげーな
空でもとぶんか?
からかうのはやめてくれませんかね
お客さん
キュッ キュッ

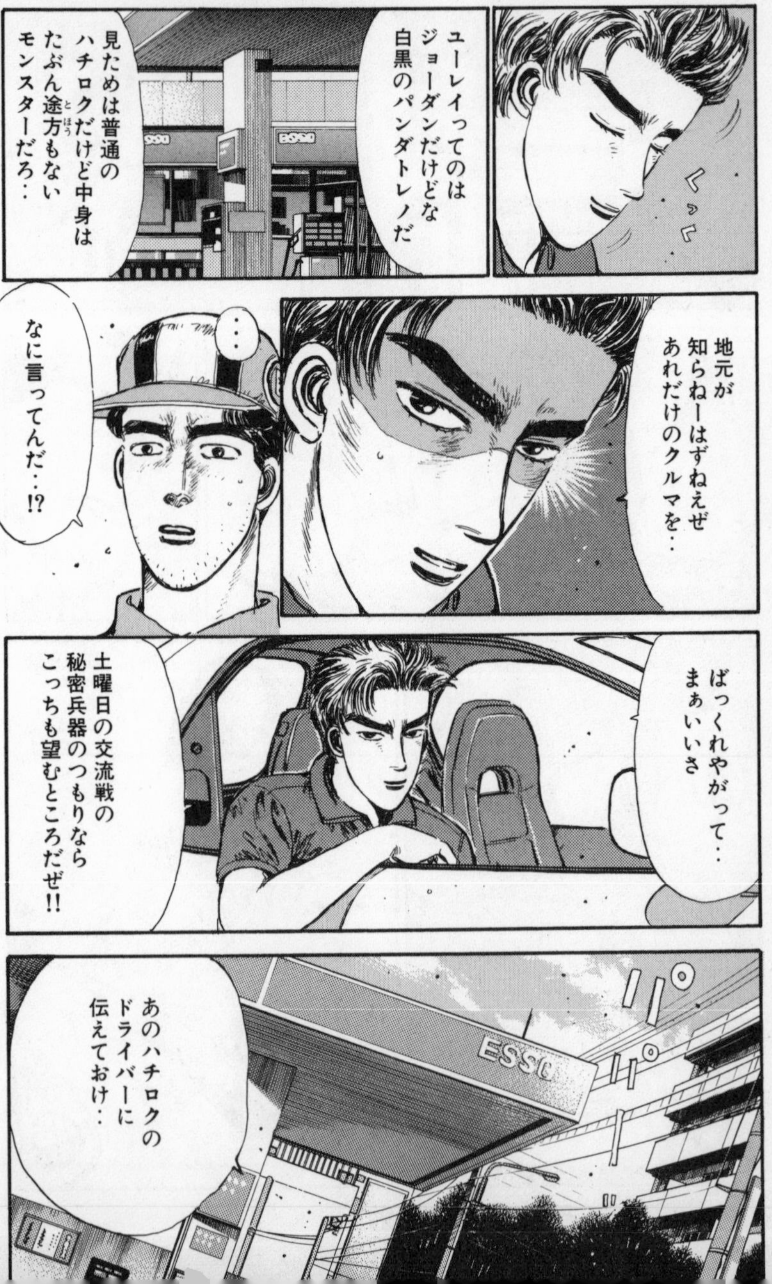
くっく
ユーレイってのはジョーダンだけどな白黒のパンダトレノだ
見ためは普通のハチロクだけど中身はたぶん途方《とほう》もないモンスターだろ‥
地元が知らねーはずねえぜあれだけのクルマを‥
…
なに言ってんだ‥!?
ばっくれやがって‥まぁいいさ
土曜日の交流戦の秘密兵器のつもりならこっちも望むところだぜ!!
あのハチロクのドライバーに伝えておけ‥
パ
パ

この前負けたのはコースに対する熟練度の差とオレの油断だ
オレは同じ相手に二度は負けねぇってな
ESSO
ESSO
!?
ブボボボ
ありがとうございましたー
ガオオオ

ボーゼン
高橋啓介が一度負けただァ‥!?
なんのことだ‥そんなハチロク知らないぞォ オレだって
…
はっ
…
う‥っ
…
まさか‥‥
だけど拓海《たくみ》ん家《ち》のハチロクも確かパンダトレノだ‥‥!!

ぞくっ
店長の言ってた話は マユツバじゃ ないってのか‥‥
今でも下り最速の ハチロクは本当《マジ》で 実在するのかァ‥!!
なぁ 拓海‥
池谷《いけたに》先輩と レッドサンズのFD なにか話してたろ?
なに話してたのか 聞いてたか?
‥‥
さぁなー‥
オレも聞いて なかったよー

秋名山
ゴァ
ヒャ
ゴゴ
スッ
Sabelt
ピッ

ダメだ・・
こんな恐ろしい思いをしてもタイムはちっとも縮まってない
オレは今までアクセルさえ開ければタイムは縮まると思ってたけどそんな甘いもんじゃない・・
オレ達は今までこんなトライをしたことがなかったからな・・
レッドサンズはモータースポーツの経験者ばかりだからタイムのけずり方をよく知っている・・
・・・
このままじゃとても太刀打《たちう》ちできねぇ・・
オレのテクニックなんてこの程度だったのか・・!!

とうふ
とうふ
油あげ
手づくりの店
藤原
豆
ピピピピピ
どん
…
シャ
シャ
…
ぬっ

きたな…
ウイィン
ドボボ
ポトポトーッ
うし
今日の水はこんなもんか‥
コトン
こぼすんじゃねーぞ

プワァァ
チャッカ
チャッカ
ファァァァァ
パァァァン

ポッ
APEX
くーくん
くくん
APEX
ヒュイ
ヒュイ

ゴオオ
ぐぐっ
チラ
プゥアアアア
ヒュイ
ヒュイ
ぐわっ
チラ
へ～
クー

ゴァ
県立S高校・・
みーん
みーん
オース
みーん
みーん
おはよー

拓海ーっ
あいかわらず寝ぼけたような顔してんなー
わるかったなー
生まれつきだよ この顔は・・
本当にねむいんだよオレ・・
ワイワイ
今週の土曜日忘れんなよ拓海
ハチロクー
みーんみーん
ワイワイ
わかってるよしつこいぞーてめー
これくらい念をおしとかねーと不安なんだよなー
あー 楽しみだぜはやく土曜日来ねーかなー
ワイワイ

ドキドキするなー
池谷先輩には
勝ってもらいたいけど
高橋兄弟のパラレル
ドリフトも絶対見たいし・・
・・・
オレらもやっぱ
走り屋をめざすからには
いつか秋名最速と呼ばれる
ようになってみたいなー
なァ
ガヤガヤ
オレ べつに・・
そんなもんに
なれなくてもいいよ
おまえはムリかな
めざしても・・
ふっ
池谷先輩のクルマの
リアシートで あんな
怖がってるようじゃ
才能のかけらもないよ
そこへいくと
オレはちがうぜ
そりゃちょっとは
怖かったけど歯をくいしばって
コーナー出口を睨《にら》んでたからなー
ワイワイ
池谷先輩も
密《ひそ》かに思ったんじゃねーかー
くーっ
ふるふる
拓海はみこみねーけど
イツキは将来楽しみだって・・
いっしっしっし
岡田か
てめーは・・

ワイワイ
ザワザワ
見えた・・
ブスじゃん あんなの・・
ぱくぱく
ぱくぱく
わざわざ制服のスカート自分で短く改造してんだからなー
女って パンツ見せたいんだろーなー きっと
ブスでおまけにゾウみたいな足の女までチョーシこいてスカート短くしてんのもやだよなー
ワイワイワイ
どーせなら足のキレイなコじゃねーと見る気しねーよ・・
とてとてっ
見えたラッキー
キレイな足じゃん
顔なんて見てない

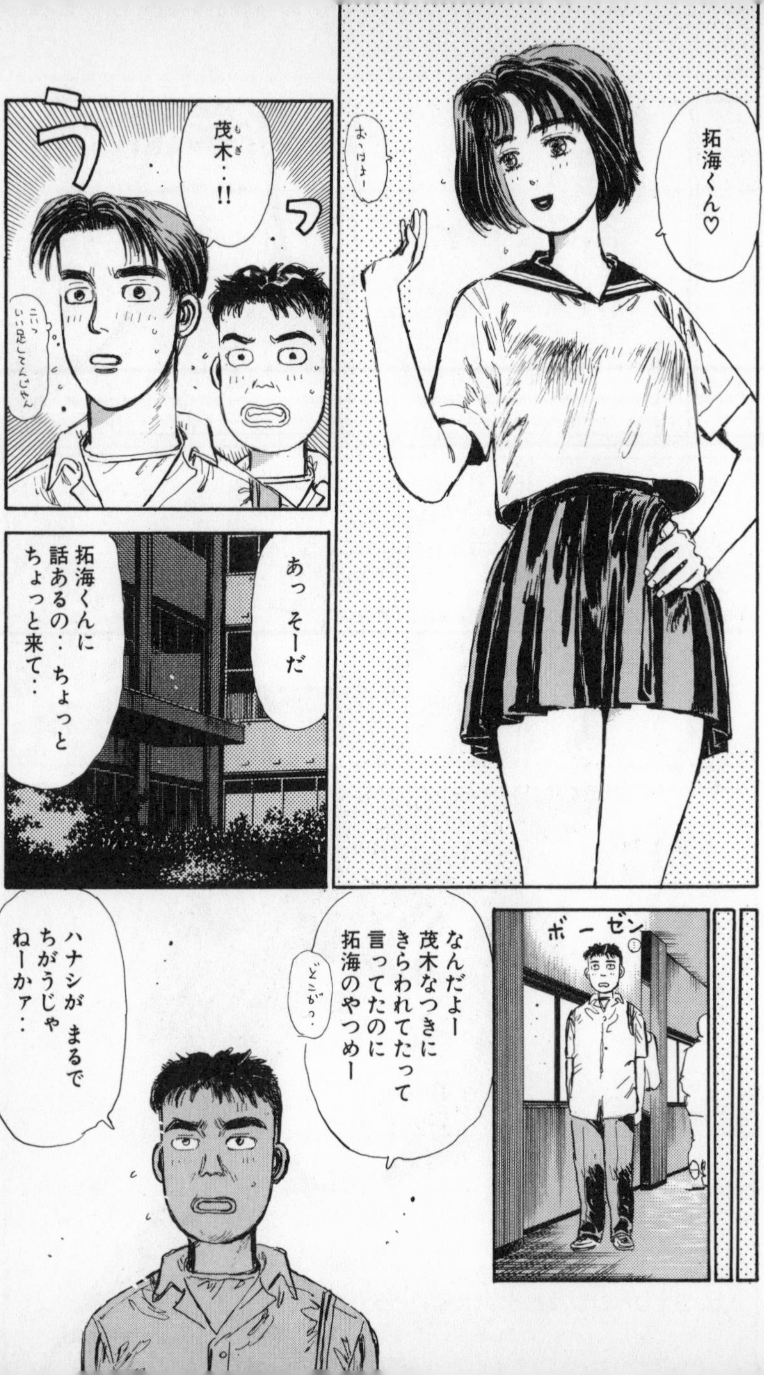
拓海くん♡
おっはよー
うっ
茂木《もぎ》・・・!!
こいつ いい足してんじゃん
あっ そーだ
拓海くんに話あるの‥ ちょっと ちょっと来て‥
ボーゼン
なんだよー 茂木なつきにきらわれてたって言ってたのに 拓海のやつめー
どこがっ
ハナシが まるでちがうじゃねーかァ‥

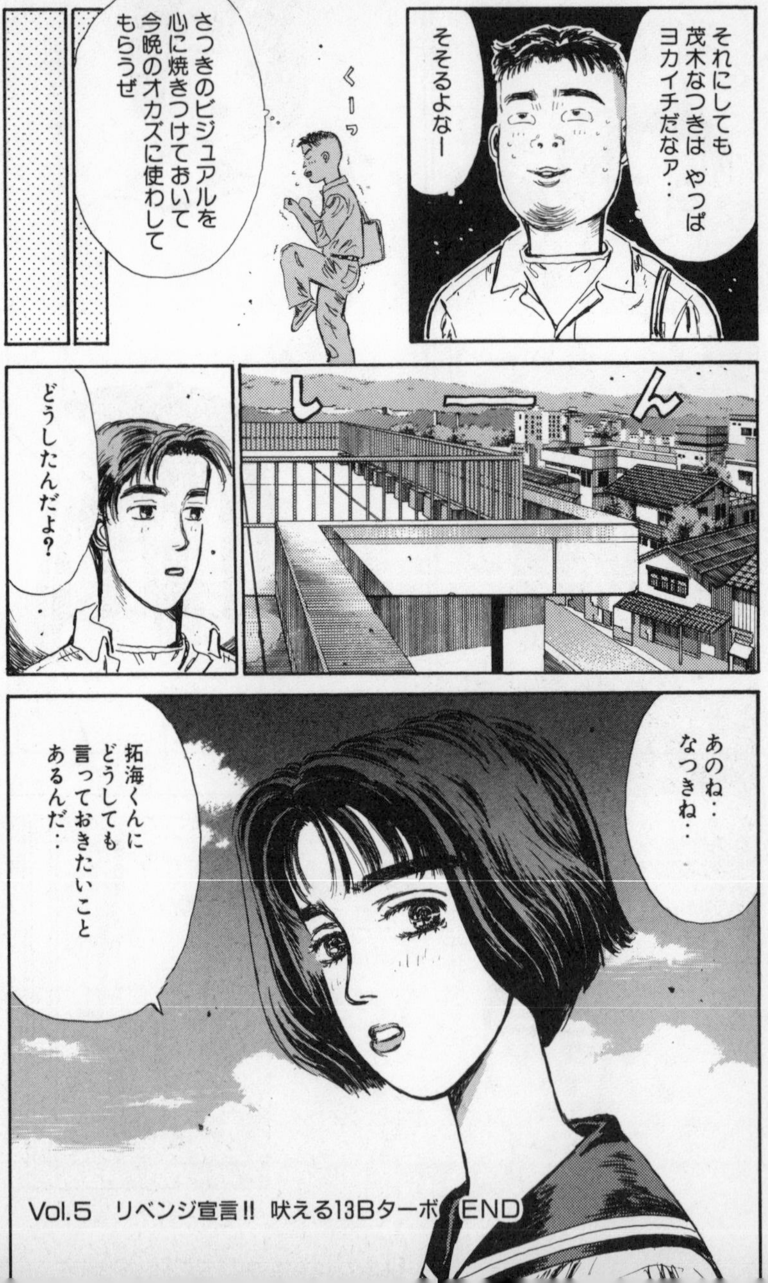
それにしても
茂木なつきは やっぱ
ヨカイチだなァ‥
そそるよなー
くーっ
さつきのビジュアルを
心に焼きつけておいて
今晩のオカズに使わして
もらうぜ
しーーん
どうしたんだよ?
あのね‥
なつきね‥
拓海くんに
どうしても
言っておきたいこと
あるんだ‥
Vol.5 リベンジ宣言!! 吠える13Bターボ END

▶Vol.6　なつきの秘密‥!?

みーーん
みーーん
みーーん
しん
！
！
しんみり
あのね・・
・・・
えへへ
実はね・・
なんちゃって・・・

なつきね…
おニューの水着を
買っちゃったんだよー
くぷぷ
ちょー
かわいいやつだよ
はあ？
…
ひょっとして…
話って　そのことか？
ピンポーン♡
なんだよー…
深刻そうにきり出すから
どんなことかと思って
身構えたよー
みーんみーん…
げんなり
えへへ
だってーうれしくて
誰かに話さないと
気がすまなかったん
だもーん
ねぇ　見たい？
何色《なにいろ》だと思う
はやく見たい？
…

そりゃ まぁ…
見たいけど…
見せたげるよー
いくらでも…
いっしょに海に行く時にねっ
うふん
それまでの
お楽しみ…
こんどの日曜日どぉ？
拓海くんその日ヒマ？
じいーっ
みーん
みーん
みーん
次の日曜？
いいぜ ちょうど
バイト休みだから
じゃ 決まりね
約束だよ
みーん
みーん
約束は絶対やぶっちゃ
だめだよ
ボヘーッ
なつきは約束破るヒトと
タバコすうヒト キライ
なんだから…

雨降ったら
どうすんだよ
キーン
コーン
カーン
コッ
そんときは
そんときだよ
あっ キャイム.
とうふ
とうふ 手づくりの店
藤原豆腐店
ブ
ボアッ
SILVIA

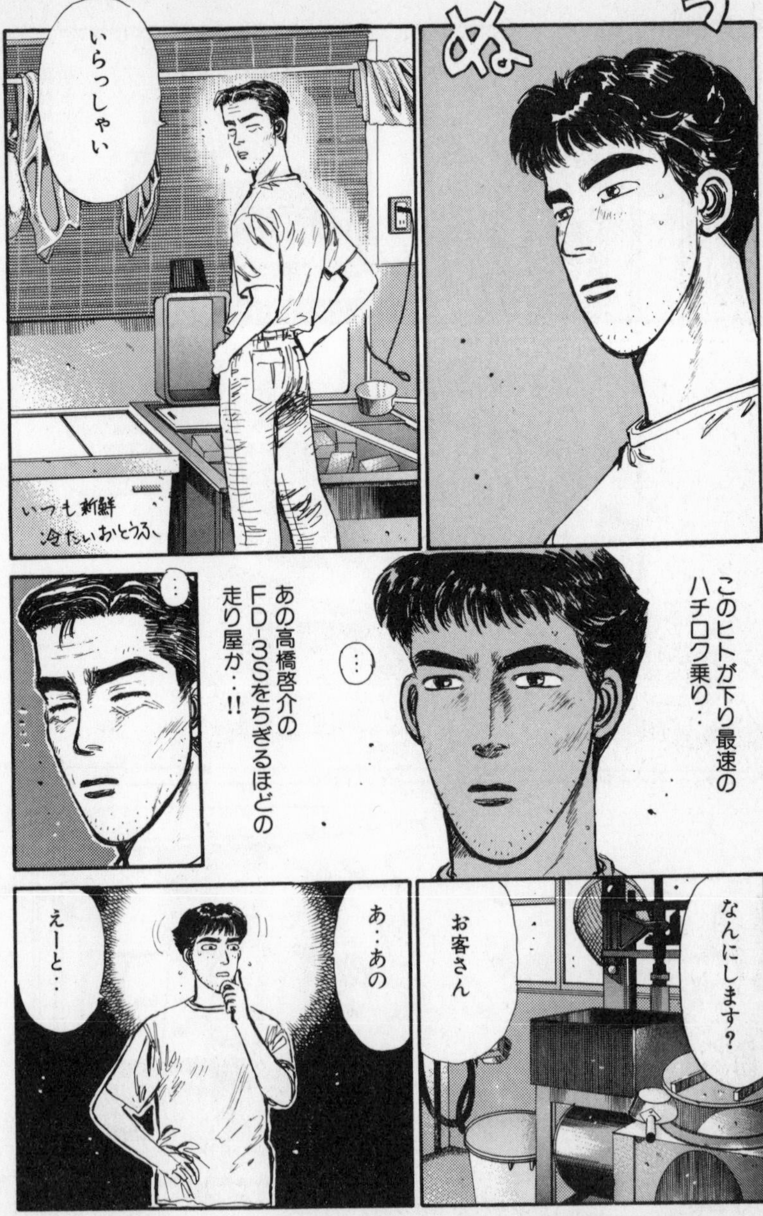
ぬっ
いらっしゃい
いつも新鮮
冷たいおとうふ
このヒトが下り最速のハチロク乗り・・
・・・
あの高橋啓介のFD-3Sをちぎるほどの走り屋か・・!!
・・・
なんにします？
・・お客さん
あ・・あの
えーと・・

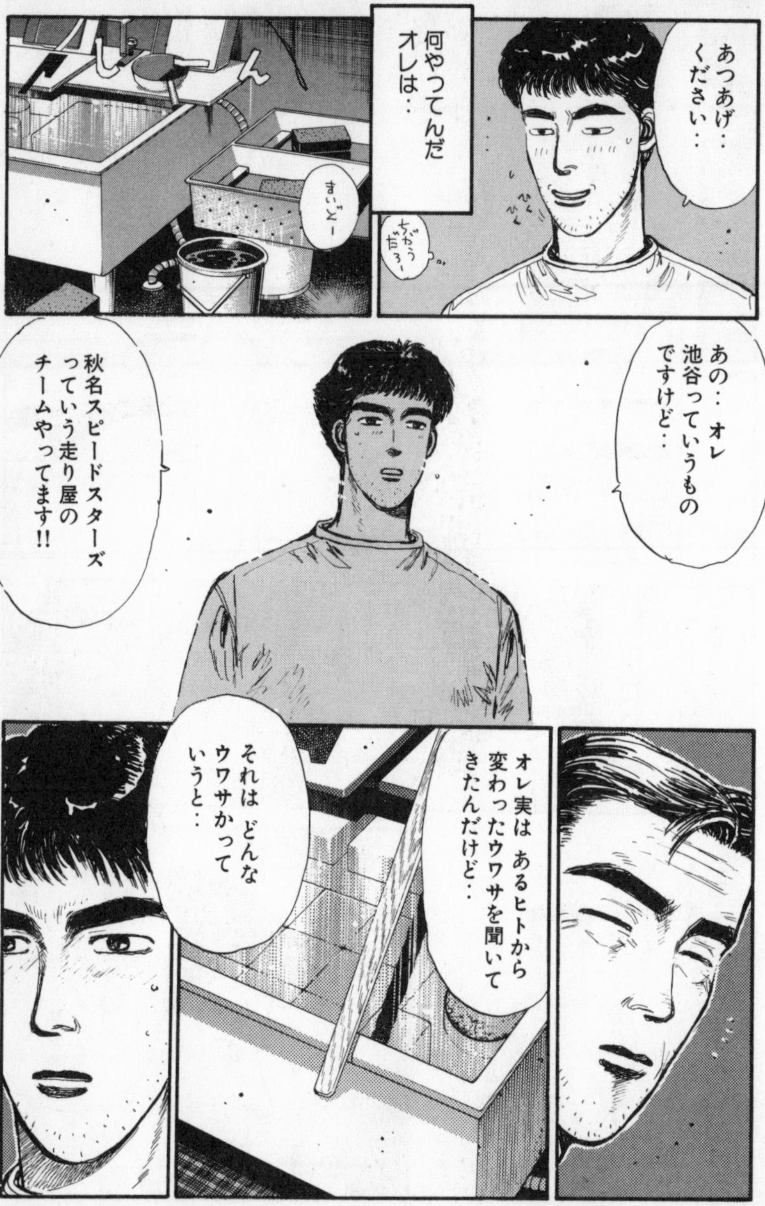
あつあげ…ください…
ひくひく
ちがうだろー
何やってんだ オレは…
まいどー
あの… オレ 池谷っていうものですけど…
秋名スピードスターズっていう走り屋のチームやってます!!
オレ実は あるヒトから変わったウワサを聞いてきたんだけど…
それは どんなウワサかっていうと…

…
秋名の下りでいちばん速いのはハチロクに乗ってるとうふ屋のおやじだっていうんです!!
いつも
…
どこの誰が言ったウワサかは知らねーけど…
オレじゃねぇなそれは…
しらばっくれないでもらいたいな… 群馬中さがしたってハチロクで配達するとうふ屋なんて…
他には絶対ない!!
オイオイ…お客さん

それがもし
オレのことだとしたら
どうだっていうんだい？
まさか秋名最速を賭けて
勝負しろなんて
言わねーでくれよな‥
ホイ 140円だよ
ガサ
チャイーン
いや‥
そんなつもりは
ないんですけど
実はちょっと
こみいった事情が
あって‥
オレの話を
聞いてもらえま
せんか？
豆
原
困るんだよなー
仕事中だからさー
ヒマそうじゃないですか
客いないし‥
ガッ
失礼だな
あんた‥
言いにくいこと
ズバッと
ちょっとオレも
必死なもんで
すいません‥

そこまで言うなら
話ぐらいは聞いても
いいけど…
たぶん時間の
ムダだぜ…
とうふ
手づくりの店
豆腐店
そいでね〜
物理の山田がさ〜
目がイヤだよね〜

ん
たっくん♡
なんだよ それ…
そんな呼び方してもシカトすっかんな
なんで〜 かわいいと思ったのに!?
ちぇ〜
…
なつき 藤原くんと仲よかったっけ?
みーん みーん
前 同じクラスだったことあるの?
同じクラスだったことはないけど 部活いっしょだったの 途中まで
あぁ… そっかー

どうしてそんなこと聞くの白石《しらいし》?
ううん べつにどうってわけじゃないけど‥
みーんみーん
藤原くんって不思議なんだよね なんか‥
いつも ボーッとしてて つかみどころがないっていうか‥
もてそうだけど 女のコとのウワサも 聞かないしね‥
ふーん
なによー その目つきは
べつにー
オレ‥ このごろ 茂木《もぎ》のこと すごく 意識してる
何考えてんのか わかんねーやつ
かわいいけど
2人で 海に行くなんて 約束しちゃったからなー

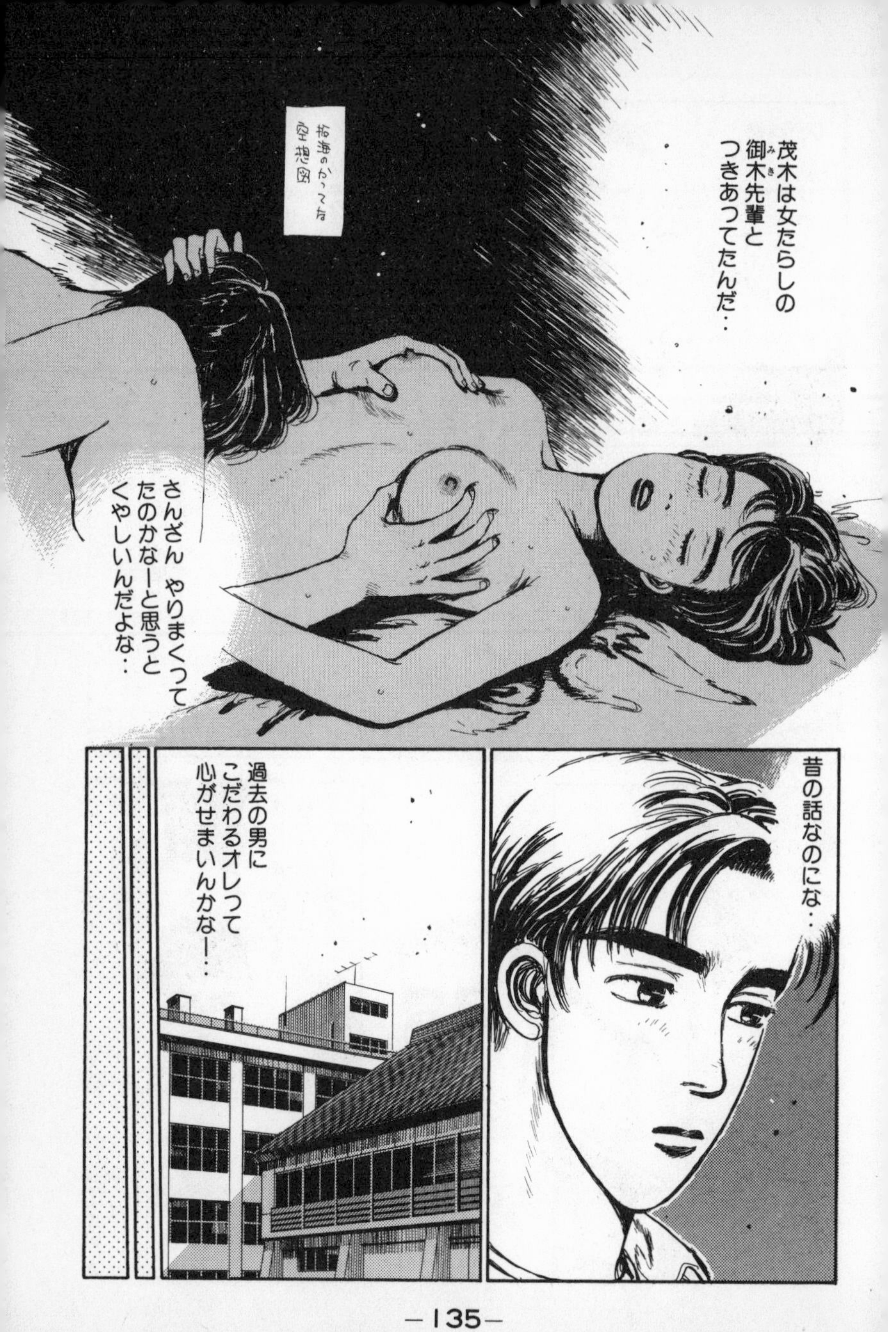
茂木は女たらしの
御木《みき》先輩と
つきあってたんだ・・
拓海のかってな空想図
さんざん やりまくって
たのかなーと思うと
くやしいんだよな・・
昔の話なのにな・・
過去の男に
こだわるオレって
心がせまいんかなー・・

なるほどなァ・・
昔から赤城の走り屋はうまい奴が多かったなーそういや
あんたの気持ちはわからんでもねーがその話は断るぜ
今さらオレみたいなオヤジが出ばってても場違いってもんだろ・・
それは おまえら若いもんどうしでどうにかしなきゃーいけねぇ問題だぜ
なら・・せめてオレに秋名の下りの攻め方を教えてくれませんか？
・・・
せっかくだが・・
それも無理な注文だな
ぷかーっ

ドラテクってのは
たった2、3日で
どうにかなるような
もんじゃねーんだ
どうすれば思い通りに
クルマが動いてくれる
のかを…
トコトン考えて
トコトン走りこむしかない
オレなんざ現役で
走ってるころは夢の中で
さえも秋名を攻めてたぜ
寝ても覚《さ》めても考える
ことといえば走りのこと
だけだったよ
それで ちょっとでも
思いつくことがあれば夜中でも
ふとんからとび出して峠で
試しにいくんだ
ジョーシキでは
考えられないような
すっとんきょうな
ことも試したな
10コ思いついたアイデアのうち
9つは使いものにならなかったが
それでも懲《こ》りずに走り続けたよ

技術《テク》ってなァ
そういうもんだ
教えられて身につくもんじゃ
ねぇよ 自分でつくるもの
なんだ・・
帰んな
力になれなくて
わるかったな・・
・・・
オレはあきらめて
ませんよ藤原さん
また来ると
思います
オレは秋名で育った
走り屋だから・・
レッドサンズが
秋名の走り屋全部を
バカにしてるのが見え見えで
それが いちばん
ムカつくんですよ

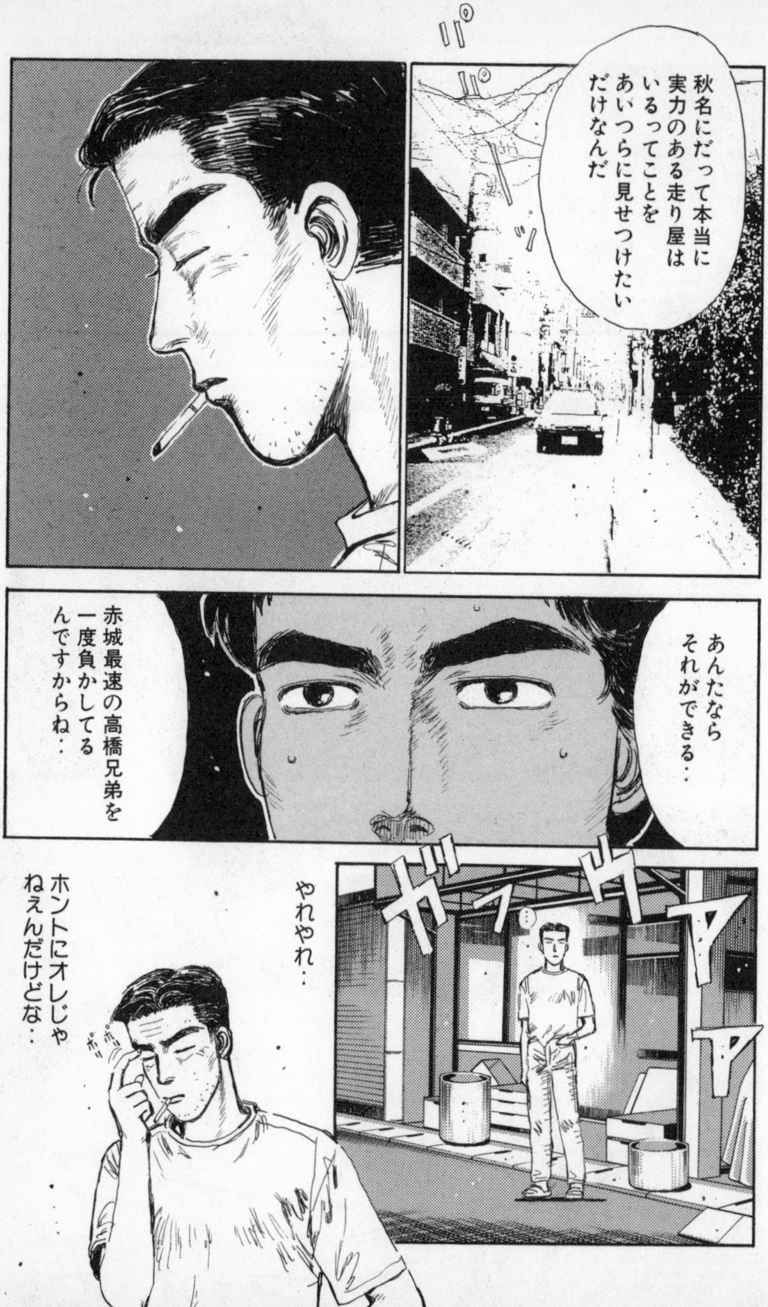
秋名にだって本当に実力のある走り屋はいるってことをあいつらに見せつけたいだけなんだ
あんたならそれができる・・
赤城最速の高橋兄弟を一度負かしてるんですからね・・
やれやれ・・
ホントにオレじゃねえんだけどな・・

池谷とかいったっけな・・
ふっ
キライじゃねーな
ああいう奴は・・
秋名山
パシュー

ギャイイイ
わかんねーぜ
いくら考えても・・
考えても
わかんねーからヒントが
ほしいんじゃねーかよ
ガァァァ

Vol.6　なつきの秘密‥!?　END

▶Vol.7　無残！池谷クラッシュ!!

ギャアアア

ドッ
ア
ひでーアンダー!!
ラインがふくらむ…かわせないいっ!!
イン側に逃げてくれっ!!
たのむ!!
おあああああっ
ゴアオ
SILVI

ズギュアァアァ
ズバーン
ズワァッ
かわせたァ・・・

ドゴオァ
ぐにゅっ
ぴょん
キキッ
あぶねぇーっ
ひどい運転しやがって!!
しっかりしろ!!
おい 大丈夫かキミ!?

・・・
すいません・・
オレの不注意で・・・
すいませんでした
本当に・・
しっかりしろよ
オイ!!
今すぐ救急車を
呼ぶからな!!
ガク
ミーーン
ミーーン
ミーーン
ピーポー
ピーポー
ピーポー

えええンっ!!
池谷先輩が事故ったァ!?
いつですかァ!? それって・・
きのうの夜 秋名の下りで・・
現場見てきたけど ガードレールが ハデにこわれてたぜ・・
それで ケガは?
4点式のシートベルトで 体を固定してるからな ひどくはないらしいんだけど・・
精神的には 相当まいってる みたいだったな・・
クルマの方は かなり いっちゃってる らしいんだ・・

直るんですか
先輩のS13《シルビア》!?
直ることは
直るけど‥
これで土曜日の
交流戦は絶望的
だよ
とにかく池谷の代役を
たててチームの誰かが
下りを走らなきゃな
誰が走っても
高橋兄弟には
勝てっこねーけど‥
あと2日しか
ねーからな‥
みーーん
みーーん
あっ 池谷さん
いいんですか
出歩いても‥
NISSAN
サニー
シルビア
NISSAN
セフィーロ
SUNNY

まぁ・・
オレの方は
なんとか・・
ボヘーッ
オレのクルマは?
みーーん
みぃーーん
みぃーーん
奥の工場ですけど
まだ何も・・パーツが
そろうまでは手を
つけませんから・・
しーーん
・・・
AKINAG

オレがヘタクソな
ばつかりに
痛い思いさせたな・・
ごめんなS13《シルビア》・・
かんべんしてくれな・・
はやく直って
帰ってきてくれ・・
ぽろり
・・・
また いつしょに
走ろうな・・

なんだよ もう
今日は終わりだぞ
かたいこと言うな
ハイオク満タンだ‥
わざわざ来てやってるのによ
なまいきだぞ ハチロクのくせに ハイオクだァ‥
…
…
…
てめーだろ 祐一《ゆういち》
あの池谷って若いのに
ヘンなウワサ吹きこみ
やがったのは‥
オウ‥ べつにウソを
言ったつもりはねぇが
それがどうか
したのか？

困ってんだよ しつこくて
今日も来たぞォ
アタマにホータイまいて
ギプスつけてスクーター
乗って
ふーっ
気の毒に
事故ったたな‥
ありゃあ
気の毒だと思ったら
代わりに走ってやったら
どうだ?
池谷は気のいい奴だぞ
やだね‥
ガキのケンカに
大人が首をつっこむ
みてーなもんだろ
けっ
アタマの中は
ガキじゃ
ねーかよ
そーゆうのはオレの
主義じゃねーんだよ
本当は
つっこみたい
くせに‥
だったら‥
ガキのケンカには
ガキを出せばいいだろ
…

拓海のことを言ってんのか？
そうだ
ぷはーっ
かなりのウデになってんだろ？
まだまだだけどな・・秋名の下りならどんな奴が来ても負けねぇぐらいにはなったかな・・
ふん
オレには負けるがな・・
くっくっく
ぷっ
すぐ負けん気出す・・
あいつもなー
誰に似たのかガンコなとこあって走れといって素直に走るような奴でもねーんだよなー

まぁ あの池谷って奴の頭のホータイに免じて‥
作戦を考えてやるわ‥
じゃな‥
おう
油あげ 藤原 豆腐
ボヘーッ
ボヘーッ

あのさー
ちょっと言っとくけど 今度の日曜日 オレ クルマ使わして もらうからな・・
日曜・・?
だめだ!!
なんで? 前の日の朝と 次の日の朝の配達は ちゃんとやるからさ
そういう問題じゃねぇ 商工会の寄りあいが あって オレがクルマ 使うんだ
マジかよー まずいよそれー
オレどーしても その日クルマ 使いてーんだよ
ピクッ
ハハーン さては女だな
いっちょまえに色気づきやがって
いいだろ なんだって もったいぶらねーで 貸してくれよ どーせ ボロいクルマなんだから

勝手に乗ってくからな・・
ぷいっ
へっへ
ふざけんな・・キーなきゃクルマは動かねーよ
ヒモつけて首にさげとこう・・
うっ
きたねー
あんなボロでも使えないと困る
これぱつかりは・・
どうしてもって言うなら・・
考えてやってもいいぞ・・
ホントかよ!?
バカおやじいいとこあるぜ
うっしゃーっ
ただし条件がある
土曜の夜あのクルマで赤城最速とか言ってやがるフカしたガキをかるくひねってこい・・
秋名の下りでだ!!

!!
なんだァ・・・
それ・・・・？
そうすればクルマは
無条件で貸してやる
しかもガソリン
満タンのおまけつきだ
ガソリン満タン!?
くらっ
すげえ
この条件は めちゃくちゃ
ぐらっとくるぜ・・
オレ金ねえから・・
でも・・
主人公らしくない
かっこうだ・・
どうするんだ？
う～ん
ちくしょー
ちょっと考え
さしてくれる？
明日の朝
まで・・

いいぜ…好きなだけ考えても
高橋

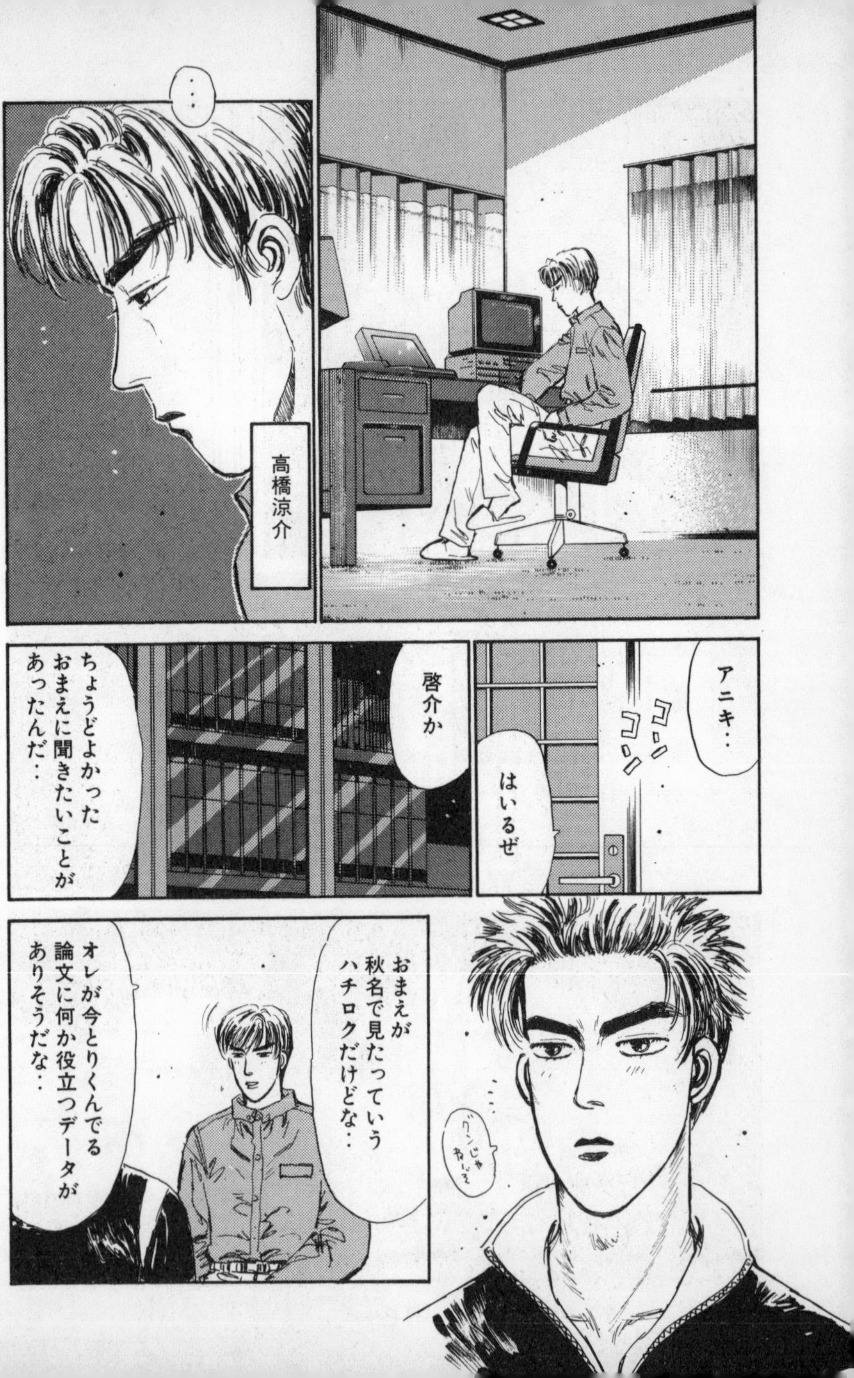
・・・
高橋涼介
アニキ・・
コンコン
はいるぜ
啓介か
ちょうどよかった おまえに聞きたいことが あったんだ・・
おまえが 秋名で見たっていう ハチロクだけどな・・
・・・
オレが今とりくんでる 論文に何か役立つデータが ありそうだな・・

今思い出して
そいつの速さを理論的に
説明できるか？
カンベンしてくれよアニキ
オレはアニキとはちがう
そういうのはムリだ・・
アニキはバトルしながら
後ろにつくと なんでも
わかっちまうんだよな・・
右と左のコーナーを
一コずつ抜けただけで・・
相手のドライバーの
クセや欠点 クルマの
足まわりの仕上がりまで
ズバズバ当たるし・・
エンジンのパワーだって
ほとんど当たる
人間シャーシダイナモって
呼ばれてるぐらいだからな・・
オレに言わせりゃ アニキの
分析力はバケモノじみてるぜ・・

いつも言ってるだろ
ドラテクでいちばん大切なのはここだって‥
わかんねーかなっ
オレに言わせりゃ何も考えずに走ってオレとタメはるおまえの方がよっぽど気持ちわるいぜ
コンコン
啓介の走りに理論が加われば理想的なドライバーなんだがな‥
まぁ　いい‥
自分で見なけりゃはじまらない‥
明日の交流戦オレも行ってみるか‥
そのハチロクとドライバーに 少し興味がでてきた‥

Vol.7　無残！ 池谷クラッシュ!!　END

▶Vol.8　交流戦突入!!

藤原　文太　43歳

172センチ　62キロ

秋名山を走らせたら，シューマッハより速いと信じている

昔，ラリー屋。今，とうふ屋。

好きなもの／キャブの音。タバコ。

嫌いなもの／とうふ。でかいクルマ。

得意技／ドリフトしながら居眠りをする。

土曜日
パパーーッ
みーんみーんみーん
あちーな・・
ボヘーッ
拓海ー
ザワザワ
ついにきたなー土曜日が・・
・・・
なんだっけ?
ずるっ
オーバー アクションだな・・

なんだっけ じゃねーよォ たのむよボケてんじゃ ねーよォ
あ そっか…
交流戦だよ 交流戦!!
そのことだけどさー
ちょっと ややこしいことに なっちまってさー
あんだよ?
まさか つごう 悪くなったなんて 言うんじゃねーだろーなー
いや・・
そういうわけじゃ ねーけど・・
おまえ こわいぞ カオ…
ポリポリ
…
ドタン場で キャンセルなんか してみろ どんな事情が あっても絶交だぞ!!
オレは もう毎日毎日 指おり数えて この日を待って たんだからなー

カラーンコローン
・・・
わかってるよ・・
そこまで言うかァ・・
みぃーんみーんみーん
・・
藤原豆腐店
ごめんください
ぬっ
あつあげください・・
うまいですよここのあつあげは・・

また あんたか‥
しつこいよなー あんたも‥
いつも新鮮
冷たい
…
フン
行ってやれるかもしれねーぜ‥
今夜‥秋名山
本当ですかっ!?
うあ。
ゴキ
しーーん
おいおい
死ぬなよ
…
ぐあー
ムチウチだ

確実とは言えねーがな
今のところは五分五分ぐらいの可能性だ
何時ごろからはじまるんだ？
交流会じたいは8時ぐらいからですけど‥
タイムアタックは10時です
10時か‥
10時すぎても もしうちのハチロクが着かなかったら‥
その時はあきらめてくれ
自分達でなんとかするんだ!!
だーん
オレは‥!!
待ってますよ藤原さん!!
絶対来てくれると信じて待ってます!!

絶対じゃねぇ
五分だと言ったはずだ
いや・・あなたはもう来てくれるつもりなんだ・・
オレは信じてます
チームの仲間全員で待ってます・・
秋名の頂上で・・10時に・・
藤原
しーん
弱いんだよな・・ああいう あつい奴に・・
ムズムズ
拓海がこねたらオレ自分で走ろーかな・・
イカン 血がさわぎ出した・・

ブオッ
渋滞の車の
市役所通
ヒュイイイーン
ヒ
ヒュー
♪
何か楽しいことでもあったのかい？なつき‥
いつもと ちょっと感じがちがうよ
えっ
そうかな‥なつき いつもこんな感じじゃない？

グオオオ
なんとなくウキウキしてる感じだよ‥
そっかー パパって カンがいいね‥
えへへ 実はね‥
明日 海に行くんだー 友達と
すごい楽しみなのー
友達って男の子かい?
え‥ ちがうよ女の子にきまってるでしょー
ヒュウ
そうか‥
今からデパートよって新しい水着を買ってやろうか?
いいの もう‥ 自分で買ったもん
水着2着もいらないよ‥
ヒューン

そうか・・
パパも見たいな
なつきの水着姿を
ヴォオオオォォ
ヘンだよー
そんなの・・
えーっ
パパのエッチー
パパはゼンブを見てるのに？
あっちーなー
今日も
ジリ
ジリ
明日も晴れると思うか？
バカバカしいこと聞くなよ日本全国カンカン照りだよ

明日どっか
出かけんのか？
まーな・・
海へ行くんだ
なぁにぃーっ
キーン
うええん
うらやましいよー
オレだって海に
行きてーよォー
ぬけがけとは
ひどいじゃないかよー
拓海〜っ
泣くことねーだろ
わりーけど
なりゆきで　おまえに
声かけるわけには
いかなかったんだよ
パパー
また　こんどな・・
かんべんしろよ
イツキ

女の子と行くのかァ？
まーな
おまえ そんな女いたのかよー ぜんぜん知らなかったぞー
誰だよオレの知ってる女か？かわいいか？ムネでかいか？
まだくわしくは言えないけど…
にやにや
オレってイヤなやつ
かなりかわいいとだけ言っておこうかな…
ふるふる
……
おまえ本気で泣くなよー イツキ
ESSO

ズゴオ
おうおう
また3台
…
オ
オ
オ
いかにも
それっぽいクルマが
秋名山 上《のぼ》ってく
スゲーな峠《やま》では
ちょっとしたお祭りだぜ
池谷のチームと
赤城最速チームとの
交流戦のことは あちこちで
ウワサになってたらしいからな・・
まぁ ほとんどは有名な
高橋兄弟を見にきてる
んだろうけど・・

オレまで久々に血がさわいできた・・
Cashier
あとで こっそりギャラリーしにいってみよーかなー
ドカ
ふーっ
赤城最速のRX-7と
まったく無名の秋名の下りスペシャリストとのバトルは見ものだぜ
負けねーだろうけどな・・
拓海のハチロクは文太のハチロクだからな!!
にやり

秋名山
本当に信じていいのか 池谷?
そのハチロクの話…
…
オレにはとてもじゃねーけど信じられねーぜ
ドドドド
高橋啓介のFD-3Sは峠仕様のライトチューンらしいけど それでも350馬力はかるく出てるってウワサだぞ
いくら下りだからってハチロクなんかじゃ勝負になんねーよォ
おまえ事故でアタマうったんじゃねーのかァ

ハチロクはハチロクでも ただのハチロクじゃねーぜ
…と思うんだけど…
ドドドド
高橋啓介が自分で言ったんだ… 見た目はただのパンダトレノだけど 中身はカリッカリのモンスターだってな!!
オレを信じろ 必ず来てくれる!!
ドドドド
もし 来なかったら?
その時は…
健二《けんじ》 おまえが 180《ワンエイティ》SXで下りを走れ!!
こんだけギャラリーが出てる中でスピードスターズが逃げたなんて言われるわけにゃーいかねーからな…
チームの看板しょって死ぬ気で攻めてくれ!!
シャレになんねーよ 池谷…
オレ 自信ねーよ まったく…
ごくっ

ワイワイ
ザワザワ
こんな大勢のギャラリー秋名では見たことないよー
ワイワイ
碓氷《うすい》や妙義《みょうぎ》のチームのステッカーも見かけたぜ
高橋兄弟のネームバリューはすげーよ やっぱ‥
ザワザワ
高崎にさー高橋クリニックっていうでっけー病院あるだろ
ガヤガヤ
そこの院長の息子らしいぜあいつら

このドラマはフィクションです..

そうなのかー
知ってるよオレ
その病院なら
ガヤガヤ
ワイワイ
兄の涼介はものすごい
秀才なんだ　中学
高校とトップの成績で
今は群大の医学部の
学生らしいけど‥
勝てねーよなー
金持ちには‥
ザワザワ
運転の上手《うま》さなんて
どれだけムダにガソリンと
タイヤを使ったかで
決まるようなもんだからさ‥
オレなんかガソリン代を
捻出《ねんしゅつ》するのにどれくらい
苦心してっかわかんねーよ
ガァァァァァァ
ガァァ
パシャーン
‥
おっ　すげー
こんな遠くから
ウエストゲートの
抜ける音がきこえる
なんかスゲーのが
上ってくるぞ‥

かなりの台数だな・・
ロータリーサウンドが混じってる!!
ガァァーゴァァー
来たかァ・・
ついに・・
ごくっ
ごく
ガゴァァァァ
プシュシュシューーッ

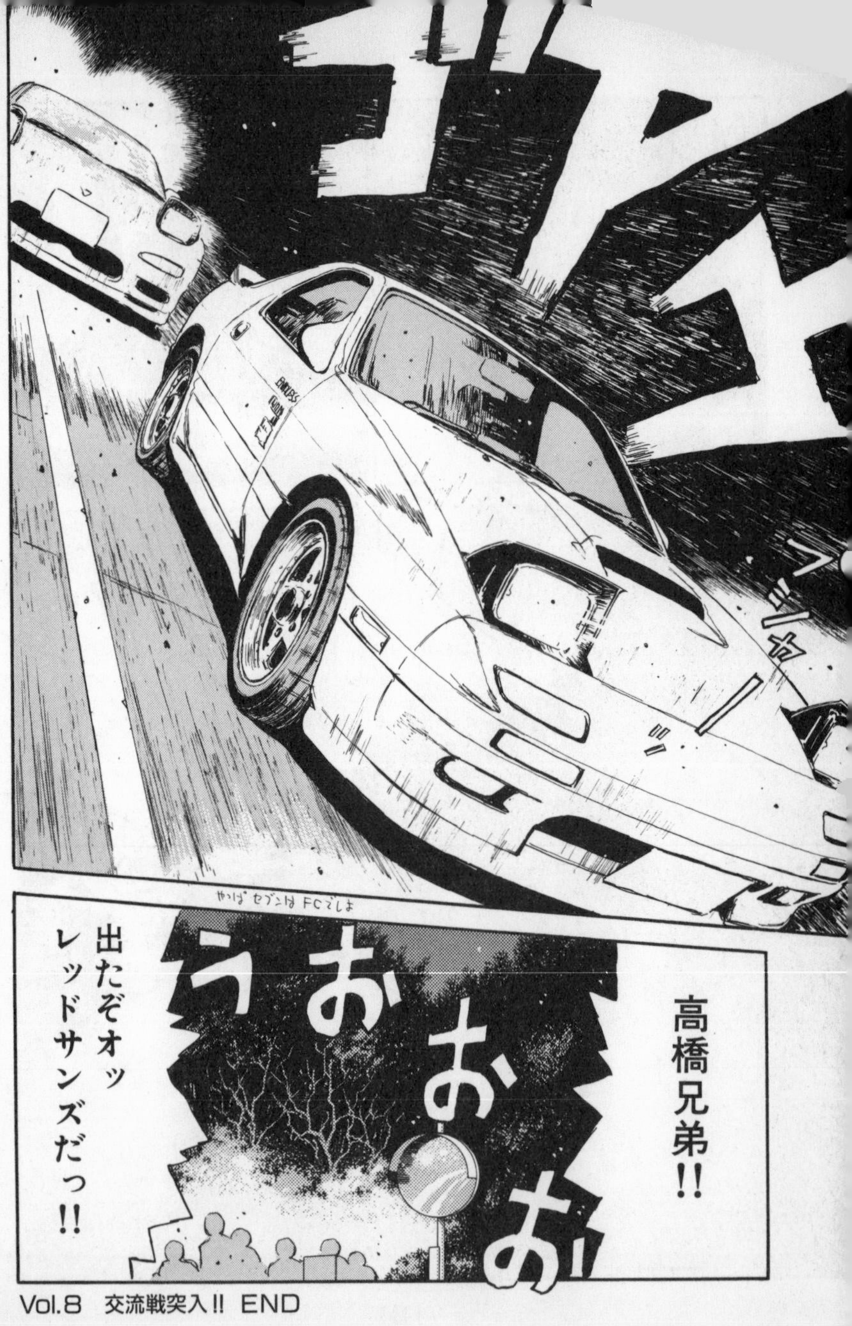
やっぱ セブンは FCでしょ
高橋兄弟!!
うおおおお
出たぞオッ
レッドサンズだっ!!

Vol.8　交流戦突入!!　END

ドドッ
ドドドッ
ドドッ
ドドドッ

▶Vol.9　聞け!!　4A−Gの雄叫びを

帰ってない？
そーですか
すいません
何度もかけて
ガチャン
イラ
イラ
イラ
…
なにやってんだー
拓海のやつー
いったい どこ
ほっつき歩いてんだよー
あれほど念を
おしといたのにー
バカ拓海
アホー カスッ
てめーなんか もう
友達じゃねー!!
ド
ガッ

しーん
いてて
もう8時過ぎてる
交流戦はじまっちゃうよー
ぐすん
これ以上待てない‥
原チャリで行こう
秋名山頂上
ドドドッ
ドドッ
タイムアタックは
予定どおり10時から
はじめよう‥
ドドドッ
ドドッ
遅い時間の方が
一般車の通行がなくなって
やりやすいからね‥

ドド
ドド
ドド
ドッ
スタートとゴール地点で携帯電話を2台使ってカウントするんだ
ハチロクいねーぞアニキ…
きょろきょろ
そのうち出てくるさ
安心してアタッカーが全開走行できるようにブラインドコーナーにはオフィシャルを立たせて
ドド
ドド
ドッ
対向車が来てる場合は大きくウデを回してドライバーに合図するってわけさ…
なるほど
ドド
ドド
ドド
手なれた感じだなレッドサンズの連中…
しょっちゅうタイムアタックしてるんだろなーあっちこっちで
そういうことだから10時まではフリー走行ってことで
ふっ
楽しく走ろう…ギャラリーも多いことだし
…

ショータイムって
わけだ‥
ン
ガアアアア
おおーっ
来た来たーっ
アアアア
ズアメッ

ギャイィィ
ヤ ヤ
うめーなー
レッドサンズの
ドリフト!!
キッチリ
クリッピングポイントに
つくもんなー!!
ギャァァ
レッドサンズの一軍は
サイドひくの
禁止らしいぜ‥
ブレーキングドリフト
なのかなァ‥

ズギャッ
うげー 右コーナーなのに 左向いてる!!
高橋弟の FD-3S!!
ギャギャッ

すげー
進入スピードが
速いっ!!
ド迫力だよ
FDのドリフトは!!
ヒャッホー
プシュ・
シューッ

た・・高橋涼介の・・
おおっ
FC-3S!!
ズギュア
ジョーダンだろ あんな遠くから直ドリにはいったァ
100キロ以上 かるく出てるっ
公道で あんなことする奴 見たことねぇっ!!
スピンするぞォ
まっすぐ つっこんで くるぞっ
逃げろォ あぶねぇっ!!

ギョアア
くっ
キュッ
く

ゴオッ

ギャアアアア
信じらんねー 神業《かみわざ》だぜ あんなの!!
どうやって コントロール してんだァ!?
おい 大丈夫か?
アアア
あせって逃げて ガケから 落ちちまった
目からウロコ 落ちたぜー こんなの 見たことねぇ!!
赤城最速のふれこみは ダテじゃねーぜ あいつらの実力は 本物だっ!!
プシュシュ・シューッ

並んでつっこんでくる!!
何をする気だ!?
ゴオオオ
ギョアアァ

ギュァァァァ
すげーっ あんなにくっついて
あたってんじゃねーのかっ!?
げぇっ
あれが有名な並列《パラレル》ドリフト!!
ゴオ
気持ちわるいぐらい息があってるぜ
ガァァッ
昔 テレビのコマーシャルに あんなのあったなー

ゴオゴ
2人ともすげーけど
あれは後ろから寄せていく
涼介がすげーんだ・・
ドリフトしながら
スピードとラインを自由に
変えられるテクニックが
ないと あれはできない
ガオオオ
くだらねぇ・・
こんなのはただの
パフォーマンスだ
タイムを出しに
いくときの走りとは
違うからな
秋名ごときに
オレの敵はいねぇ!!
出てこいハチロク
それを証明してやる!!

藤原豆腐店
とうふ
ドドドドドドッ
くいっ
ウイン
今日は紙コップはいいのかよ?
いらねーよ そんなもん うしろに とうふのっけてねえんだから
ドドドド
いつもの配達じゃねーんだから
せいぜい遊んでこいや‥
ドドッ ドドッ

あそび？
遊びっていうのはもっと楽しいもんだろ
オレ気が重いよ
楽しいと思うけどなーサイコーに…
なんだよ…自信ねぇのか？
そういうわけじゃねーけど…
ドドド
ふつーに走りゃ負けやしねーよ
わかってるよ
あと2、3年もしたら…
オレの方がうまくなっちまうんじゃねーかおやじよか…
ぬかせ…
10年早《は》えー

Vol.9　聞け!!　4A-Gの雄叫びを　END

▶Vol.10　ダウンヒルスペシャリスト

秋名山頂上
ドドドドド
何やってんだ あいつら?
FDのタイヤを つけかえてるんだ
あのワンボックスに 何セットかタイヤを もってきてるらしい
ドッドッ
むこうは どうやら 高橋啓介が アタッカーらしい
状況によって タイヤを使いわけ てんのかァ… 本格的にやりやがって
ちっくしょう
ドドド

来てねーよ アニキ・・
例のハチロク
ムカつくぜ てっきり あいつが 秋名の代表で出てくると思ったのにな・・
他の奴なんてカスばっかりだからな・・
とんだ見当ちがいで 拍子抜けだぜ
こうなりゃタイムアタックで大差をつけて あいつらに大恥かかせてやらなきゃ気がおさまらねえぜ
もうすぐ10時だぞ 池谷・・
わかってる・・

ダメかもしれねーな
ドドドド
気持ちの準備だけはしておいてくれ…健二…
ザワ ザワ
すごかったなー高橋兄弟は…
あんなみごとなドリフト生まれてはじめて見る
めちゃめちゃかっこいいよー
オレもセブンほしくなった…
もうすぐタイムアタックはじまるから
それ見てから帰ろうぜ
ザワ ザワ
ねえねえ峠を走るのって上りと下りのどっちがむずかしいの？
ワイワイ ワイワイ
そりゃ 下りに決まってるよ 特に秋名は勾配がきついからさ…

コーナー入り口でのスピードコントロールがすげーむずかしいんだ‥
ワイワイ
ガヤガヤ
上りならミスしてもけっこうごまかせるけど下りのミスは即事故につながるし‥
事故る時はたいがい下りだもんな
重力があるから止めたくても止まんねーで暴走するんだよクルマが
事故った時のダメージもでかいし‥
上り《ヒルクライム》はパワーのあるクルマが有利だけど下り《ダウンヒル》はトータルバランスよりもドライバーのテクだから‥
ザワ
ザワ
パワーのないクルマでも下りだけはメチャメチャ速いってのが最高にかっこいい走り屋なんだ
しぶいよなーそういうの理想だよ
ザワ
ザワ
ダウンヒルのスペシャリストかァ‥
でもあこがれるだけだなー 下りはおそろしいから
あははっ

どっちみち秋名には高橋兄弟をしのぐテクニシャンなんていねーからさ・・
みじめな結果はみえみえだよ
秋名山頂上
ドドド
こちらスタート地点
準備はいいか？
全員所定の位置についたぞ
いつでも始められる
ということなんで・・
ボチボチどうかな・・
わかった・・
健二・・
たのんだぞ・・・・

ドドドドド
ふざけんなよ
こんな奴がオレの相手かよ‥
おまえ顔色わるいぞ 健二汗びっしょりで
見てるこっちまでつらくなるぜ
それじゃーカウントはじめるぞ!!
10秒前ーっ!!
ちょっと待ってくれこちらゴール地点だけど‥
たった今 一般車が一台目の前を通って上っていったぞ‥

ゴール地点
ヘンなところでスレちがうとじゃまだし上りきるまで待つか?
ちょっとたるいけど‥
かまうこっちゃねえ ここは天下の公道だぜ
対向車ぐらいいる方があたりまえだ かまわずスタートしろ!!
ちょっと待ってくれ 今通ったっていうそのクルマ‥!!
ドドド
車種を聞いてもらえるか?
‥
なんでそんなこと聞くんだ?
こちらスタート地点 車種はわかるか? 計測区間にははいった一般車の‥
車種?
えーと たしかリトラクタブルのクルマだったな‥たぶん トレノだハチロクの
ドドド

!!
!!
かせっ 電話!!
ドドド
そのハチロク‥
何色だ?
いろォ!?
なんでそんなこと
さっきから聞くんだ?
白黒だったよ
パンダトレノだ!!
ドドドド

来たア!!

くっくっく・・
来やがったぜ アニキ・・
オレの獲物が・・
どうするんだ啓介 カウントしていいのか？
ドド
カウントはまだだ ハチロクが来るまで待て!!
ぬ
う
っ
オレの本当の競争相手は となりの180《ワンエイティ》SXなんかじゃないはずだ
そうだろ？
そのとおりさ・・
にやり
さがっていいぞ 健二・・
助かったぜー 地獄に仏とは このことだあ〜〜〜

おまえ・・なみだ目に
なってるぞ・・
健二
ド
ド
おまえだって・・
ド
ジーンときた・・
秋名の走り屋の
プライドを守るために
あのヒトは来て
くれたんだ・・
それだけで
十分だよ
勝ち負けはもう
どうでもいいことに
思えてきたよ・・
ド
ド
ド
ド
ワイ
ワイ
なかなか
はじまらないなー

やる前から
結果はみえてるがな
どうせ‥
ワイ
ワイ
ワイ
ワイ
秋名の惨敗だろ
高橋兄弟の実力は
ウワサどおりだぜ‥
あっちこっちで
交流戦をしかけて
ここまで全勝してる
ことも知っている
いずれは群馬最速を
ブチあげるつもりだろうが
オレ達ならレッドサンズ
なんかに負けやしねえ‥
群馬最速はオレ達
妙義《みょうぎ》ナイトキッズだ!!

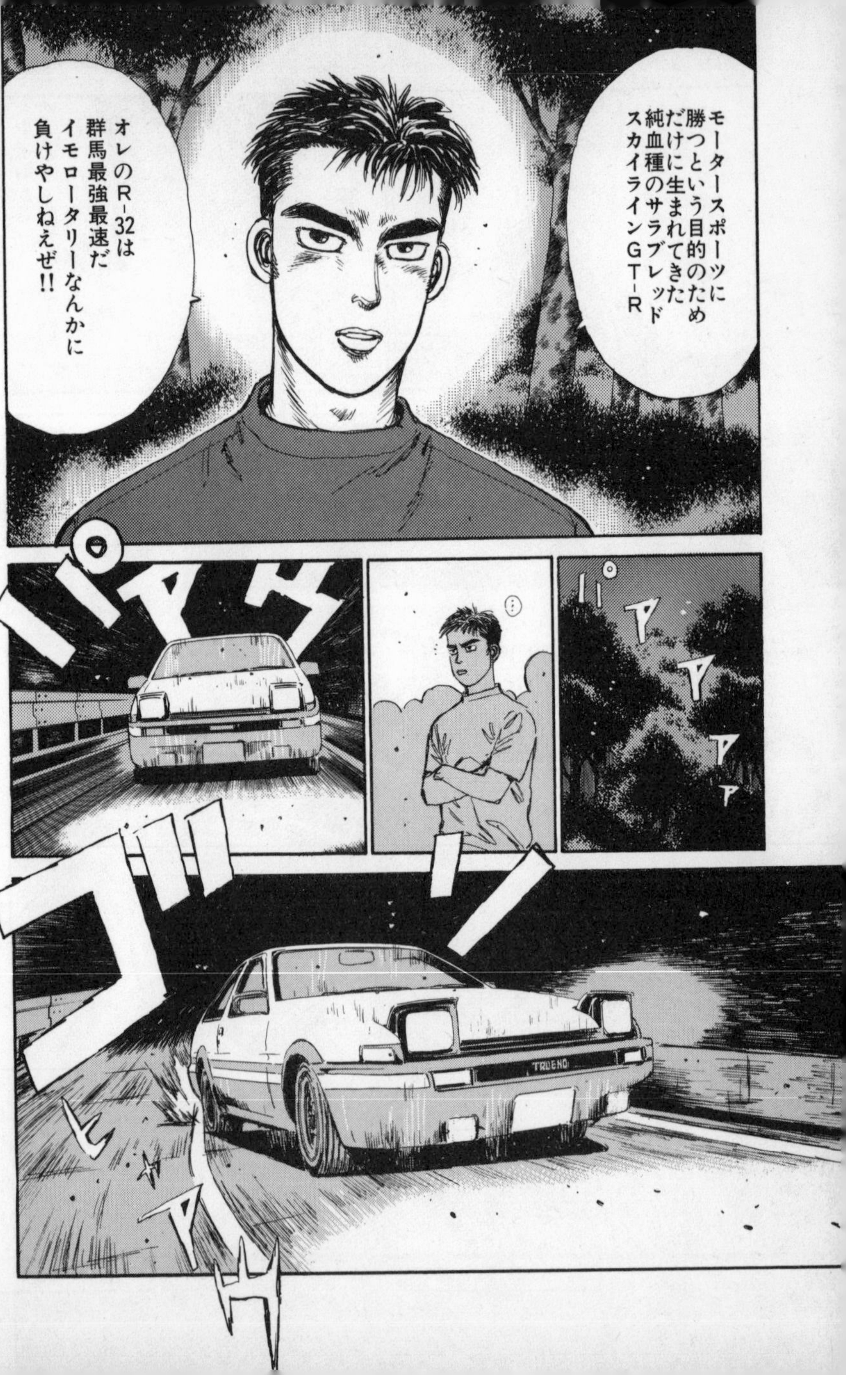
モータースポーツに勝つという目的のためだけに生まれてきた純血種のサラブレッドスカイラインGT-R
オレのR-32は群馬最強最速だイモロータリーなんかに負けやしねえぜ!!
…

パアァァァ
ヒュイイイイ
・・・
・・・
今のハチロク・・
いいウデだ！
パァァァァ
コーナーを立ち上がる
あの後ろ姿は
えもいわれぬ
余韻がある
わかんねーか？
そうかな・・
オレらには
ちょっと・・
どこの峠にもいる
ふつうの・・
ハチロク小僧にしか
見えねーけど
ザクザク

ムリもねえか・・
フッ
わかる奴にしか
わかんねーことだからな
しーん
自分のクルマを
手足のように操る
域に達した走り屋の
クルマにはオーラが漂う・・
同じレベルに達した
熟練の走り屋には
そのオーラが見えるんだ
高橋涼介の走りには
オーラがある
啓介にはまだかすかに
見える程度のオーラ
しかない
あのハチロクには
強いオーラが出ていた・・
並の走り屋じゃねーな
あんな奴が
秋名にもいたのか・・!?
プァァァァ

パァァァー
なんだ‥これ
異様なムード‥
そこらじゅうのカーブに
ヒトがびっしりと
並んでる‥
こいつらここで
何してんだ?
いったい何が
はじまってんだァ!?
なんかオレ‥
ヘンなとこに
来ちまったなー
場ちがいな感じ‥
パァァァァァ

秋名山頂上
ドドドドド
どうなってんのかなー
タイムアタックにはいるのかと思ったら
ザワザワ
さっきまでFDのヨコに並んでた180SXが
下がってしまったままだぜ
ヘンだなー
重苦しいムードだ
みんなでじっと
何かを待ってる
みたいな…
ドドド
もうすぐだ…
本当に
来てくれたんだ
秋名山 下り最速の男
伝説のスーパーテクニシャン
藤原文太…

秋名の本当の底力を見せてやるぜ‥
見てろよ高橋兄弟‥!!
早くこい‥楽しみだぜ どんな男が出てくるのか‥
こんなに血がさわぐのは久しぶりだ!!
たっぷりひきやがってたいした千両役者だぜどんなドライバーとクルマが出てくるのか‥
オレにはハッタリはきかねーぜじっくりとおがませてもらおうか‥
来い!!
ドドド
はやく来い!!
プァァァァ

来たぞォ!!
道をあけろ スタートラインに誘導しよう!!
なんだァ・・
ザワ
下から一台 あがってきたぞ・・
なんなのかなー あのクルマ・・
みんなあのクルマをまってたんだ
パァァァ
ハチロクだぞ・・
カァオ
TRUENO

Vol.10　ダウンヒルスペシャリスト　END

あなたは、この本を読んで、どんな感想をおもちになりましたか。編集部では、この本についての読者のみなさまのご意見をおまちしています。

このつぎには、どんな作家のどんな漫画を読みたいと、お考えですか。「ヤンマガKC」にしてほしいと思う作品がありましたら、「読後の感想」とあわせて、左記あてに、どしどしお知らせください。

東京都文京区音羽2―12―21
〈郵便番号112―8001〉
講談社「ヤングマガジン」編集部
ヤンマガKC係

(ヤングマガジン1995年第30号〜第40号の掲載分を収録しました。)

N.D.C. 726　224p　19cm

ヤンマガKC―567

頭文字〈イニシャル〉D《ディ》①

1995年11月6日　第1刷発行
2001年12月3日　第23刷発行

定価はカバーに表示してあります。

著者　しげの秀《しゅう》一《いち》
発行者　五十嵐隆夫
発行所　株式会社講談社
東京都文京区音羽2―12―21
郵便番号　112―8001
電話　編集部(03)5395―3461
販売部(03)5395―3608
印刷所　豊国印刷株式会社
株式会社廣済堂
製本所　永井製本株式会社

ISBN4-06-323567-X (ヤマ)　Printed in Japan

DOP-KAN

どっぷーかん

頂点を目指し、強敵《ライバル》たちとの激走を次々と制してゆく高志。最も速く走ること、それは一体、何のために、そして誰のために……!?

しげのファンの熱い要望に応えて大増ページ、6巻編成で再刊行！

しげの秀一

RUNNING FOREV
忘れない、この疾《と》走《き》を!
NISHI
デラックス版
大人気発売中!!
第1巻'99年6月、第2巻8月、以後毎月1冊ずつ発売!

する名場面!!

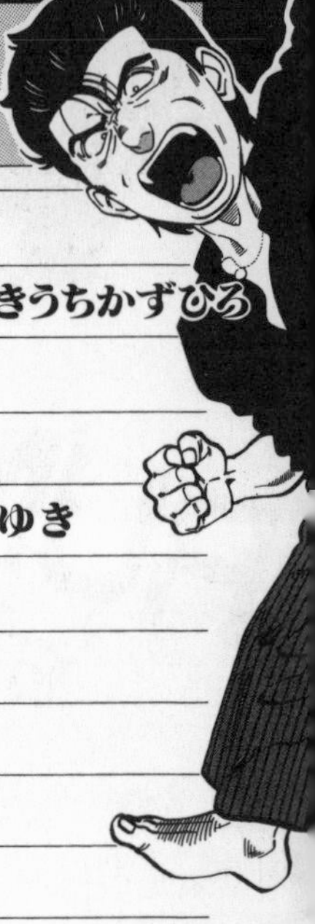

代紋〈エンブレム〉TAKE2 ①～㊿ 木内一雅／渡辺　潤

BE-BOP-HIGHSCHOOL ①～㊸ きうちかずひろ

闘破蛇烈伝DEI 48 ①～⑧ 前川かずお／島久

3×3EYES〈サザンアイズ〉 ①～㊲ 高田裕三

工業哀歌バレーボーイズ ①～㊱ 村田ひろゆき

青龍〈ブルードラゴン〉 ①～⑮ 木内一雅／八坂考訓

湾岸ミッドナイト ①～㉑ 楠みちはる

イオ ①～④ 恋緒みなと

ゴルディアス ①～② イダタツヒコ

クーデタークラブ ①～④ 松本光司

ちょびっツ ①～③ CLAMP

すべてに射矢〈いや〉ガール ①～② ロクニシコージ

Dr.汞 ①～⑤ 能條純一

チキン ① 村上真裕

犯罪交渉人峰岸英太郎 ① 記伊　孝

名ラスト!!

行け！　稲中卓球部	全13巻	古谷　実
僕といっしょ	全4巻	古谷　実
グリーンヒル	全3巻	古谷　実
バタアシ金魚	全6巻	望月峯太郎
ドラゴンヘッド	全10巻	望月峯太郎
バイクメ～ン	全4巻	望月峯太郎
超・学校法人スタア學園	全21巻	すぎむらしんいち
HeRaLD	全2巻	イダタツヒコ
ギンザ小学校	全2巻	地下沢中也
フローズン	全6巻	山崎さやか
極東学園天国	全4巻	日本橋ヨヲコ
LOVE GOD	全9巻	こしばてつや
乙姫BOMB！	全1巻	大橋　薫

大人気発売中！

発行／講談社

頭文字《イニシャル》D